1551820193

中华人民共和国国家标准

焦化机械设备安装验收规范

Code for installation acceptance of coking
and chemical mechanical equipment

GB 50390-2017

主编部门：中国冶金建设协会
批准部门：中华人民共和国住房和城乡建设部
施行日期：2018年1月1日

中国计划出版社

2017 北京

中华人民共和国国家标准
焦化机械设备安装验收规范
GB 50390-2017

☆

中国计划出版社出版发行
网址:www.jhpress.com
地址:北京市西城区木樨地北里甲11号国宏大厦C座3层
邮政编码:100038 电话:(010)63906433(发行部)
三河富华印刷包装有限公司印刷

850mm×1168mm 1/32 7.75印张 196千字
2017年12月第1版 2017年12月第1次印刷

☆

统一书号:155182·0193
定价:48.00元

版权所有 侵权必究
侵权举报电话:(010)63906404
如有印装质量问题,请寄本社出版部调换

中华人民共和国住房和城乡建设部公告

第 1542 号

住房城乡建设部关于发布国家标准《焦化机械设备安装验收规范》的公告

现批准《焦化机械设备安装验收规范》为国家标准，编号为 GB 50390—2017，自 2018 年 1 月 1 日起实施。其中，第 3.0.9、30.1.3 条为强制性条文，必须严格执行。原《焦化机械设备工程安装验收规范》GB 50390—2006 同时废止。

本规范由我部标准定额研究所组织中国计划出版社出版发行。

中华人民共和国住房和城乡建设部
2017 年 5 月 4 日

前 言

根据住房城乡建设部《关于印发2014年工程建设标准规范制订、制订计划的通知》(建标函〔2013〕169号)的要求,由中国五冶集团有限公司、五冶集团上海有限公司会同有关单位在原国家标准《焦化机械设备工程安装验收规范》GB 50390—2006的基础上修订完成。

本规范在编制过程中,编制组进行了广泛调查研究,认真总结了多年来焦化机械设备安装质量验收的实践经验,对规范条文反复讨论修改,并广泛征求了有关单位和专家的意见,最后经审查定稿。

本规范共分31章和6个附录,主要内容包括:总则,术语,基本规定,设备基础、地脚螺栓和垫板,设备和材料进场,堆、取料机,煤调湿装置,焦炉护炉铁件及操作平台,焦炉炉下加热及交换装置,焦炉炉顶装置,焦炉附属设施,推焦机,拦焦机,顶装煤装煤车,捣固机,侧装煤装煤车,U型管导烟车,电机车、焦罐车,干熄焦工艺钢结构及轨道,干熄焦干熄炉及余热锅炉,干熄焦装入、排出系统,干熄焦气体循环系统,干熄焦辅助设备,煤气净化及化产品回收换热器,煤气净化及化产品回收板式塔及填料塔,煤气净化及化产品回收容器,煤气净化及化产品回收槽罐,煤气净化及化产品回收加热器,煤气净化及化产品机械澄清槽、离心分离机,试运转及焦炉热态工程,安全及环保等。

本规范修订的主要内容是:

1. 增加了术语;

2. 第4章设备基础、地脚螺栓和垫板及第5章设备和材料进场的条文内容关系各分项工程,是各分项工程具有共性的质量控

制要素,因此将其单独列章;

3.新增加了第7章煤调湿装置,第9章第4节烟道弯管,第11章第3节摇动给料机、第8节捣固机轨道、第9节余煤提升装置,第12章第10节机侧除尘装置,第15章捣固机,第16章侧装煤装煤车,第17章U型管导烟车,第23章第5节除氧器的质量验收;

4.删除了被淘汰的湿熄焦内容;

5.修改了煤气净化及化产品回收章节设置及内容;

6.修改了煤气净化及化产品回收分部分项工程的划分;

7.对各章节中的条文内容进行了修订。

本规范以黑体字标志的条文为强制性条文,必须严格执行。

本规范由住房城乡建设部负责管理和对强制性条文的解释,由中国冶金建设协会负责日常管理,由中国五冶集团有限公司负责具体技术内容的解释。执行过程中如有意见或建议,请寄送中国五冶集团有限公司(上海市宝山区铁力路2501号,邮政编码:201900,传真电话:021-36214485,E-mail:shwyjszx@163.com),以供今后修改时参考。

本规范主编单位、参编单位、主要起草人和主要审查人:

主 编 单 位:中国五冶集团有限公司
　　　　　　　五冶集团上海有限公司

参 编 单 位:冶金工业工程质量监督总站宝钢监督站
　　　　　　　大连华锐重工集团股份有限公司

主要起草人:陈和平　王永川　钟　明　郭魁祥　张　峰
　　　　　　刘昌球　丁兆龙　张大勇　颜　钰　赵　锋
　　　　　　尚修民　袁旭东　赵　榕　张眛茗　李志芬
　　　　　　李建全　高文建

主要审查人:郭启蛟　李长良　李明珠　杨铁荣　孙兴利
　　　　　　庞遵富　余　伟　扈本忠　匡礼毅　于在福
　　　　　　郭继平　唐　燕　赵　聪

目　次

1 总　则 …………………………………………………（ 1 ）
2 术　语 …………………………………………………（ 2 ）
3 基本规定 ………………………………………………（ 4 ）
4 设备基础、地脚螺栓和垫板 ……………………………（ 7 ）
　4.1　一般规定 …………………………………………（ 7 ）
　4.2　设备基础 …………………………………………（ 7 ）
　4.3　地脚螺栓 …………………………………………（ 8 ）
　4.4　垫板 ………………………………………………（ 9 ）
5 设备和材料进场 ………………………………………（10）
　5.1　一般规定 …………………………………………（10）
　5.2　设备 ………………………………………………（10）
　5.3　材料 ………………………………………………（10）
6 堆、取料机 ……………………………………………（12）
　6.1　一般规定 …………………………………………（12）
　6.2　走行轮及走行平衡梁 ……………………………（12）
　6.3　回转装置 …………………………………………（14）
　6.4　电缆卷筒 …………………………………………（14）
　6.5　皮带机、平衡锤、锚固锁紧器 ……………………（15）
7 煤调湿装置 ……………………………………………（17）
　7.1　一般规定 …………………………………………（17）
　7.2　支撑轮 ……………………………………………（17）
　7.3　筒体 ………………………………………………（18）
　7.4　进出料密封 ………………………………………（19）
8 焦炉护炉铁件及操作平台 ……………………………（21）

8.1　一般规定 ·· （21）
　　8.2　炉柱 ·· （21）
　　8.3　小炉柱 ·· （23）
　　8.4　保护板 ·· （24）
　　8.5　炉门框及磨板 ·· （26）
　　8.6　炉门 ·· （28）
　　8.7　纵、横拉条 ·· （29）
　　8.8　机侧和焦侧平台 ·· （30）
9　焦炉炉下加热及交换装置 ·· （31）
　　9.1　一般规定 ·· （31）
　　9.2　煤气主管、分配支管、水平支管、下喷管 ···················· （31）
　　9.3　调节旋塞、交换旋塞和孔板盒 ······························ （33）
　　9.4　烟道弯管 ·· （33）
　　9.5　废气交换开闭器 ·· （34）
　　9.6　煤气交换机 ·· （35）
　　9.7　交换传动机构 ·· （36）
　　9.8　烟道闸板阀 ·· （37）
10　焦炉炉顶装置 ·· （38）
　　10.1　一般规定 ··· （38）
　　10.2　集气管及氨水管 ··· （38）
　　10.3　上升管、桥管 ··· （39）
　　10.4　拦焦、装煤除尘导管 ····································· （40）
11　焦炉附属设施 ·· （41）
　　11.1　炉门修理站、推焦杆和平煤杆试验、更换站设备 ············· （41）
　　11.2　煤塔给煤装置 ··· （42）
　　11.3　摇动给料机 ··· （42）
　　11.4　煤塔装煤称量装置 ······································· （43）
　　11.5　推焦机、装煤车、导烟车、焦罐车轨道 ····················· （43）
　　11.6　拦焦机轨道 ··· （44）

11.7　捣固机轨道 …………………………………………（45）
　　11.8　余煤提升装置 ………………………………………（46）
12　推焦机 …………………………………………………………（48）
　　12.1　一般规定 ……………………………………………（48）
　　12.2　走行装置 ……………………………………………（48）
　　12.3　机体钢构架 …………………………………………（49）
　　12.4　推焦装置 ……………………………………………（50）
　　12.5　摘门装置 ……………………………………………（51）
　　12.6　炉门框清扫装置 ……………………………………（53）
　　12.7　炉门清扫装置 ………………………………………（54）
　　12.8　平煤装置 ……………………………………………（56）
　　12.9　小炉门清扫装置 ……………………………………（56）
　　12.10　机侧除尘装置 ………………………………………（57）
13　拦焦机 …………………………………………………………（59）
　　13.1　一般规定 ……………………………………………（59）
　　13.2　走行装置 ……………………………………………（59）
　　13.3　机体钢构架 …………………………………………（60）
　　13.4　导焦栅 ………………………………………………（61）
　　13.5　摘门装置 ……………………………………………（62）
　　13.6　炉门框清扫装置 ……………………………………（63）
　　13.7　炉门清扫装置 ………………………………………（64）
　　13.8　拦焦除尘装置 ………………………………………（65）
14　顶装煤装煤车 …………………………………………………（67）
　　14.1　一般规定 ……………………………………………（67）
　　14.2　走行装置 ……………………………………………（67）
　　14.3　机体钢构架 …………………………………………（68）
　　14.4　煤斗 …………………………………………………（69）
　　14.5　下料装置 ……………………………………………（69）
　　14.6　揭盖装置 ……………………………………………（70）

14.7	氨水转换及上升管操作装置	(71)
14.8	装煤除尘装置	(71)
15	捣固机	(73)
15.1	一般规定	(73)
15.2	机体钢构架、安全挡装置、导向板装置	(73)
15.3	提锤传动装置、停锤装置、捣固锤装置	(74)
16	侧装煤装煤车	(77)
16.1	一般规定	(77)
16.2	走行装置	(77)
16.3	机体钢构架	(78)
16.4	装煤装置	(79)
16.5	密封框装置	(80)
16.6	除尘装置	(80)
17	U型管导烟车	(82)
17.1	一般规定	(82)
17.2	走行装置	(82)
17.3	机体钢构架	(83)
17.4	U型管装置	(84)
17.5	氨水转换及上升管盖开闭机构	(84)
18	电机车、焦罐车	(86)
19	干熄焦工艺钢结构及轨道	(87)
19.1	一般规定	(87)
19.2	工艺钢结构	(87)
19.3	提升机轨道	(88)
19.4	提升井架导轨	(89)
19.5	提升机电缆导架	(90)
20	干熄焦干熄炉及余热锅炉	(91)
20.1	一般规定	(91)
20.2	干熄炉壳体	(91)

20.3	供气装置	(93) |//
21	干熄焦装入、排出系统	(95)
21.1	一般规定	(95)
21.2	对位装置	(95)
21.3	齿条式横移牵引装置	(95)
21.4	钢丝绳式横移牵引装置	(97)
21.5	提升机	(99)
21.6	装入、排出装置	(101)
22	干熄焦气体循环系统	(104)
22.1	一般规定	(104)
22.2	一次除尘器	(104)
22.3	二次除尘器	(105)
22.4	给水预热器	(106)
23	干熄焦辅助设备	(108)
23.1	一般规定	(108)
23.2	电梯筒	(108)
23.3	除盐水槽	(109)
24	煤气净化及化产品回收换热器	(110)
24.1	管壳式换热器	(110)
24.2	板面式换热器	(111)
24.3	套管式换热器	(111)
25	煤气净化及化产品回收板式塔及填料塔	(113)
25.1	一般规定	(113)
25.2	板式塔组装	(113)
25.3	板式塔焊接	(115)
25.4	板式塔安装	(117)
25.5	板式塔部件安装	(118)
25.6	填料塔组装	(120)
25.7	填料塔焊接	(122)

25.8 填料塔安装 …………………………………………… (124)
25.9 填料塔内件 …………………………………………… (125)
26 煤气净化及化产品回收容器 ………………………………… (127)
26.1 容器类设备本体组装 ………………………………… (127)
26.2 容器类设备现场焊接 ………………………………… (128)
26.3 容器类设备安装 ……………………………………… (129)
27 煤气净化及化产品回收槽罐 ………………………………… (131)
27.1 槽罐 …………………………………………………… (131)
27.2 槽罐焊接 ……………………………………………… (134)
28 煤气净化及化产品回收加热器 ……………………………… (137)
28.1 管式加热炉 …………………………………………… (137)
29 煤气净化及化产品机械澄清槽、离心分离机 ……………… (140)
29.1 机械澄清槽 …………………………………………… (140)
29.2 离心分离机 …………………………………………… (141)
29.3 煤气初冷器/终冷器 ………………………………… (141)
29.4 电捕焦油器 …………………………………………… (142)
29.5 饱和器 ………………………………………………… (143)
29.6 萘结片机 ……………………………………………… (144)
29.7 装料臂 ………………………………………………… (144)
30 试运转及焦炉热态工程 ……………………………………… (145)
30.1 一般规定 ……………………………………………… (145)
30.2 焦炉附属设备及交换传动装置 ……………………… (146)
30.3 移动机械 ……………………………………………… (147)
30.4 干熄焦装置 …………………………………………… (152)
30.5 煤气净化及化产品回收装置 ………………………… (153)
30.6 焦炉热态工程 ………………………………………… (154)
31 安全及环保 …………………………………………………… (156)
31.1 一般规定 ……………………………………………… (156)
附录A 焦化机械设备安装分部分项划分表 ………………… (159)

附录 B	焦化机械设备安装分项工程质量验收记录 ……	(164)
附录 C	焦化机械设备安装分部工程质量验收记录 ……	(165)
附录 D	焦化机械设备工程安装单位工程质量验收记录 ……………………………………………	(166)
附录 E	焦化机械设备工程设备无负荷试运转记录 ……	(169)
附录 F	承压设备的压力试验 ………………………………	(171)

本规范用词说明 …………………………………………… (172)
引用标准名录 ……………………………………………… (173)
附：条文说明 ……………………………………………… (175)

Contents

1 General provisions ······ (1)
2 Terms ······ (2)
3 Basic requirements ······ (4)
4 Foundation of equipment, foundation bolt and sole plate ······ (7)
   4.1 General requirements ······ (7)
   4.2 Foundation of equipment ······ (7)
   4.3 Foundation bolt ······ (8)
   4.4 Sole plate ······ (9)
5 Equipment and material approach ······ (10)
   5.1 General requirements ······ (10)
   5.2 Equipment ······ (10)
   5.3 Material ······ (10)
6 Material piling machine and material taking machine ······ (12)
   6.1 General requirements ······ (12)
   6.2 Travelling wheel and travelling balance beam ······ (12)
   6.3 Turning device ······ (14)
   6.4 Cable drum ······ (14)
   6.5 Belt conveyer, balance weight and anchor load binder ······ (15)
7 Coal moistening device ······ (17)
   7.1 General requirements ······ (17)
   7.2 Supporting wheel ······ (17)
   7.3 Cylindrical shell ······ (18)

7.4　Feeding and discharging sealing ······ (19)

8　Iron parts for oven protection and operating platform of coke oven ······ (21)

  8.1　General requirements ······ (21)

  8.2　Oven column ······ (21)

  8.3　Small oven column ······ (23)

  8.4　Protective plate ······ (24)

  8.5　Oven door frame and grinding plate ······ (26)

  8.6　Oven door ······ (28)

  8.7　Longitudinal and transverse bracings ······ (29)

  8.8　Platforms on the sides of machine and coke ······ (30)

9　Heating and exchange devices under coke oven ······ (31)

  9.1　General requirements ······ (31)

  9.2　Main pipe, (distribution and horizontal) branch pipe and lower spray pipe of coal gas ······ (31)

  9.3　Adjusting cock, exchange cock and orifice plate box ······ (33)

  9.4　Bent pipe of flue ······ (33)

  9.5　Waste gas exchange open-and-close device ······ (34)

  9.6　Coal gas exchanger ······ (35)

  9.7　Exchange driving mechanism ······ (36)

  9.8　Gate valve of flue ······ (37)

10　Devices at the top of coke oven ······ (38)

  10.1　General requirements ······ (38)

  10.2　Gas collecting pipe and ammonia solution pipe ······ (38)

  10.3　Rising pipe and bridge pipe ······ (39)

  10.4　Dust removal guide pipe for coke guiding and coal charging ······ (40)

11　Auxiliary facilities of coke oven ······ (41)

  11.1　Equipment of oven door repair station and coke pushing

    bar and coal levelling bar testing and changing station ······ (41)
 11. 2 Coal feeding device for coal tower ···························· (42)
 11. 3 Shake feeder ·· (42)
 11. 4 Weighing device of coal charging for coal tower ············ (43)
 11. 5 Rails for coke pusher, coal charging car, smoking
    guiding car and quenching car ·································· (43)
 11. 6 Rails for coke guide ··· (44)
 11. 7 Rails for tamper ·· (45)
 11. 8 Surplus coal lifting device ·· (46)
12 Coke pusher ·· (48)
 12. 1 General requirements ·· (48)
 12. 2 Running gear ·· (48)
 12. 3 Steel structure of machine body ································ (49)
 12. 4 Coke pushing device ·· (50)
 12. 5 Door taking off device ··· (51)
 12. 6 Cleaning device for oven door frame ························· (53)
 12. 7 Cleaning device for oven door ·································· (54)
 12. 8 Coal leveling device ·· (56)
 12. 9 Cleaning device for small oven door ·························· (56)
 12. 10 Dust-removing device on the side of machine ············· (57)
13 Coke guide ·· (59)
 13. 1 General requirements ·· (59)
 13. 2 Running gear ·· (59)
 13. 3 Steel framework of machine body ······························ (60)
 13. 4 Coke guide grid ··· (61)
 13. 5 Door taking off device ··· (62)
 13. 6 Cleaning device for oven door frame ························· (63)
 13. 7 Cleaning device for oven door ·································· (64)
 13. 8 Dust-removing device for coke guiding ······················ (65)

14　Coal charging car for coal charging at the top .... (67)

   14.1　General requirements .... (67)

   14.2　Running gear .... (67)

   14.3　Steel framework of machine body .... (68)

   14.4　Coal bucket .... (69)

   14.5　Discharging device .... (69)

   14.6　Cover uncovering device .... (70)

   14.7　Ammonia solution transform and rising pipe
        operating device .... (71)

   14.8　Dust-removing device for coal charging .... (71)

15　Tamper .... (73)

   15.1　General requirements .... (73)

   15.2　Steel framework of machine body, safety stop device,
        guide plate device .... (73)

   15.3　Driving device for lifting hammer, hammer stopping
        device, tamping hammer device .... (74)

16　Coal charging car for coal charging on the side .... (77)

   16.1　General requirements .... (77)

   16.2　Running gear .... (77)

   16.3　Steel framework of machine body .... (78)

   16.4　Coal charging device .... (79)

   16.5　Sealing frame device .... (80)

   16.6　Dust-removing device .... (80)

17　U-shape-pipe smoking guiding car .... (82)

   17.1　General requirements .... (82)

   17.2　Running gear .... (82)

   17.3　Steel framework of machine body .... (83)

   17.4　U-shape-pipe device .... (84)

   17.5　Ammonia solution transform and rising pipe cover

    opening and closing mechanism ················· (84)
18 Electric locomotive and coke tank car ················· (86)
19 Steel structure and rails of coke dry quenching
   process ··· (87)
  19.1 General requirements ································ (87)
  19.2 Steel structure of process ························· (87)
  19.3 Rail for elevator ····································· (88)
  19.4 Guide rail for hoisting derrick ···················· (89)
  19.5 Cable guide frame for elevator ··················· (90)
20 Coke dry quenching furnace for coke dry
   quenching and waste-heat boiler ···················· (91)
  20.1 General requirements ································ (91)
  20.2 Case of coke quenching furnace ·················· (91)
  20.3 Air-supply device ····································· (93)
21 Coke dry quenching charging and discharging
   system ··· (95)
  21.1 General requirements ································ (95)
  21.2 Position alignment device ·························· (95)
  21.3 Rack type crosswise-moving traction device ·········· (95)
  21.4 Steel wire rope type crosswise-moving traction device ······ (97)
  21.5 Elevator ·· (99)
  21.6 Charging、discharging device ····················· (101)
22 Coke dry quenching gas circulation system ············ (104)
  22.1 General requirements ································ (104)
  22.2 First dust remover ···································· (104)
  22.3 Secondary dust remover ···························· (105)
  22.4 Feed water preheater ································ (106)
23 Auxiliary equipment for coke dry quenching ············ (108)
  23.1 General requirements ································ (108)

23.2　Lift cylinder .... (108)

23.3　Desalting water tank .... (109)

24　Coal gas purification and chemical products recycling heat exchanger .... (110)

24.1　Tube and shell heat exchanger .... (110)

24.2　Plate surface type heat exchanger .... (111)

24.3　Double pipe heat exchanger .... (111)

25　Coal gas purification and chemical products recycling plate tower and packed tower .... (113)

25.1　General requirements .... (113)

25.2　Assembly of plate tower .... (113)

25.3　Welding of plate tower .... (115)

25.4　Installation of plate tower .... (117)

25.5　Installation of parts of plate tower .... (118)

25.6　Assembly of packed tower .... (120)

25.7　Welding of packed tower .... (122)

25.8　Installation of packed tower .... (124)

25.9　Parts in packed tower .... (125)

26　Coal gas purification and chemical products recycling containers .... (127)

26.1　Assembly of container-class equipment body ... (127)

26.2　Welding of container-class equipment body on site ... (128)

26.3　Installation of container-class equipment .... (129)

27　Coal gas purification and chemical products recycling tanks .... (131)

27.1　Trough and tank .... (131)

27.2　Welding of trough and tank .... (134)

28　Coal gas purification and chemical products recycling heater .... (137)

28.1	Tube heating furnace	(137)

29　Coal gas purification and chemical products mechanical clarifying tank and centrifugal separator …… (140)

29.1	Mechanical clarifying tank	(140)
29.2	Centrifugal separator	(141)
29.3	Coal gas primary cooler/final cooler	(141)
29.4	Electric tar catcher	(142)
29.5	Saturator	(143)
29.6	Naphthalene flaker	(144)
29.7	Charging arm	(144)

30　Test run and thermal state engineering of coke oven …… (145)

30.1	General requirements	(145)
30.2	Auxiliary equipment and exchange driving device of coke oven	(146)
30.3	Mobile machinery	(147)
30.4	Coke dry quenching device	(152)
30.5	Coal gas purification and chemical products recycling device	(153)
30.6	Thermal state engineering of coke oven	(154)

31　Safety and environmental protection …… (156)

31.1	General requirements	(156)

Appendix A　Division table of item project and part project of installation of coking mechanical equipment …… (159)

Appendix B　Quality acceptance record of item project of installation of coking mechanical equipment …… (164)

Appendix C　Quality acceptance record of part project of installation of coking mechanical

	equipment ··	(165)
Appendix D	Quality acceptance record of unit project of engineering installation of coking mechanical equipment ·························	(166)
Appendix E	No load test run record of engineering equipment of coking mechanical equipment ··	(169)
Appendix F	Pressure test of pressure-bearing equipment ··	(171)
Explanation of wording in this code ························		(172)
List of quoted standards ································		(173)
Addition: Explanation for provisions ·······················		(175)

1 总则

1.0.1 为了加强焦化机械设备安装质量管理,统一焦化机械设备安装的验收,保证工程质量,编制本规范。

1.0.2 本规范适用于新建、改建和扩建的焦化机械设备安装验收。

1.0.3 焦化机械设备安装工程中采用的工程技术文件、承包合同对安装质量的要求不得低于本规范的规定。

1.0.4 焦化机械设备安装质量验收除应符合本规范外,尚应符合国家现行有关标准的规定。

2 术　　语

2.0.1　煤调湿　　coal moisture control
　　这是一种炼焦用煤的预处理技术,即通过炼焦煤在焦炉外的干燥来降低并稳定控制装炉煤的水分。

2.0.2　顶装焦炉　　top-charging coke oven
　　装炉煤从炉顶装煤孔装入炭化室的焦炉。

2.0.3　捣固焦炉　　stamp-charging coke oven
　　装炉煤用捣固机捣成煤饼,煤饼从焦炉机侧送入炭化室的焦炉。

2.0.4　混合煤气　　mixed gas
　　少量焦炉煤气掺入高炉煤气后形成的焦炉加热用低热值混合燃气。

2.0.5　焦炉机械　　coke oven machinery coke oven equipment
　　与焦炉配套、完成焦炉装煤、出焦、熄焦等操作的机械设备。

2.0.6　装煤车　　coal charging car
　　由钢结构、走行机构、下煤闸门、导套机构及气路、电路系统等构成,完成由煤塔取煤向焦炉炭化室装煤操作的焦炉专用机械。

2.0.7　推焦机　　pusher
　　由钢结构、走行机构、推焦机构、平煤机构、摘门机构、开小炉门机构及气路、电路系统等构成,完成启闭机侧炉门、推焦和平煤操作的焦炉专用机械。

2.0.8　拦焦机　　coke guiding machine
　　由摘门和导焦两大机构组成,完成炉门的提起、移动和旋转,将由推焦机从炭化室推出的炽热焦饼引导到熄焦罐车上的焦炉专用机械。

2.0.9 捣固机　　tamper
将散状炼焦煤捣实成煤饼的机械装置。

2.0.10 液压煤气交换机　　hydraulic reversing machine
利用液压缸驱动链条，完成煤气、空气和废气通道切换操作的煤气交换机。

2.0.11 干熄焦　　coke dry quenching
利用惰性气体冷却炽热焦炭的工艺。

2.0.12 干熄炉　　dry quenching furnace
干熄焦专用的工业炉。

2.0.13 电机车　　electric locomotive
用于牵引熄焦车和焦罐车的电气机车。

2.0.14 U型管导烟车　　U-tube fume eliminating car
运行在焦炉炉顶轨道上，通过双U型管将装煤过程中产生的烟尘导入其邻近的处于结焦中末期的炭化室内的捣固炼焦专用机械。

3 基本规定

3.0.1 施工现场应有相应的施工技术标准,健全的质量管理体系、质量控制及检验制度,应有经审批的施工组织设计、施工方案、作业设计等技术文件。

3.0.2 施工图纸修改应有设计单位的设计变更通知书或技术核定签证。

3.0.3 特种设备出厂时应附有安全技术规范要求的设计文件、产品质量合格证书、安装及使用维修说明、监督检验证明文件。

3.0.4 安装质量检查和验收,应使用经计量检定、校准合格的计量器具,并应在有效期内使用。

3.0.5 焊工应经考试合格并取得合格证书,在其考试合格项目及其认可范围内施焊。

3.0.6 安装应按规定的程序进行,相关各专业工种之间应交接检验,形成记录;本专业各工序应按施工技术标准进行质量控制,每道工序完成后,应进行检查,形成记录。

3.0.7 上道工序未经检验验收合格,不得进行下道工序施工。

3.0.8 设备二次灌浆及其他隐蔽工程,在隐蔽前应由施工单位通知有关单位进行验收,并应形成验收文件。

3.0.9 安全阀必须校定,并应有校定报告。安全阀上应有校定的标识。

3.0.10 煤气净化与化产品回收系统装置中在现场组装焊接的塔设备应进行强度和严密性试验。

3.0.11 安装质量验收应在施工单位自检合格基础上,按照分项工程、分部工程、单位工程进行。分部工程及分项工程划分宜符合本规范附录 A 的规定,单位工程可按工艺系统划分为原料、焦炉设备及移动机械、干熄焦装置及余热锅炉、煤气净化及回收装置、化产品装置、煤焦油深加工装置等。

3.0.12 分项工程质量验收合格应符合下列规定：

    1 主控项目检验应符合本规范质量标准要求；

    2 一般项目检验中，机械设备安装应100％的检查点（值）符合标准，工艺钢结构、非标设备应有80％及以上的检查点（值）符合标准，且最大值不应超过其允许偏差值的1.2倍；

    3 质量验收记录及质量合格证明文件应完整。

3.0.13 分部工程质量验收合格应符合下列规定：

    1 分部工程所含分项工程质量均应验收合格；

    2 质量控制资料应完整；

    3 设备单体无负荷试运转应合格。

3.0.14 单位工程质量验收合格应符合下列规定：

    1 单位工程所含的分部工程质量均应验收合格；

    2 质量控制资料应完整；

    3 设备无负荷联动试运转应合格；

    4 观感质量验收应合格。

3.0.15 单位工程观感质量检查项目应符合下列规定，并且各项随机抽查不应少于10处。

    1 螺栓、螺母与垫圈按设计配置齐全，紧固后螺栓应露出螺母或与螺母齐平，外露螺纹无损伤，螺栓拧入方向除构造原因外应一致；

    2 密封状况应无漏油、漏水、漏气；

    3 管道敷设应布置合理，排列整齐；

    4 隔声与绝热材料敷设应层厚均匀，绑扎牢固，表面平整；

    5 油漆涂刷应涂层均匀，无漏涂，无脱皮，无皱皮和气泡，色泽一致；

    6 走台、梯子、栏杆应固定牢固，无外观缺陷；

    7 焊缝应焊波较均匀，焊渣和飞溅物清理干净；

8　切口处应无熔渣；
　　9　设备应无缺损，裸露加工面保护良好；
　　10　施工现场应管理有序，设备周围无施工杂物。

3.0.16　当检验项目的质量不符合相应专业质量验收规范的规定时，应按下列规定进行处理：

　　1　返工后的检验项，应重新进行质量验收；

　　2　经检测单位检测鉴定能够达到设计要求的检验项目，应判定为验收通过。

3.0.17　工程质量不符合要求，且经处理或返工后仍不能满足安全使用要求的工程不得验收。

3.0.18　质量验收程序应符合下列规定：

　　1　分项工程应在施工单位自检合格的基础上，由监理工程师或建设单位项目技术负责人组织施工单位项目专业技术负责人、质量检查员等进行验收；

　　2　分部工程应在施工单位自检合格的基础上，由总监理工程师或建设单位项目负责人组织施工单位项目负责人和技术、质量负责人等进行验收。

3.0.19　单位工程完工后，施工单位应组织检查评定，并应向建设单位提交工程验收报告。

3.0.20　建设单位收到工程验收报告后，建设单位项目负责人应组织施工、设计、监理等单位项目负责人进行单位工程验收。

3.0.21　总包单位应对工程质量全面负责，分包单位应对分包工程检查评定，并应按本规范规定的程序进行验收。分包单位在完成分包工程后，应将工程有关资料移交总包单位。

3.0.22　设备安装质量验收记录应符合下列规定：

　　1　分项工程质量验收记录应按本规范附录B的要求填写；

　　2　分部工程质量验收记录应按本规范附录C的要求填写；

　　3　单位工程质量验收记录应按本规范附录D的要求填写；

　　4　设备无负荷试运转记录应按本规范附录E的要求填写。

4 设备基础、地脚螺栓和垫板

4.1 一般规定

4.1.1 设备安装前应进行基础的检查验收,未经验收合格的基础,不得进行设备安装。

4.1.2 焦化机械主体设备基础应作沉降观测,并应形成记录。

4.2 设备基础

Ⅰ 主控项目

4.2.1 设备基础强度应符合设计文件要求。

检查数量:全数检查。

检验方法:检查基础交接资料。

4.2.2 设备就位前,应按施工图并依据测量控制网绘制安装基准线和标高基准点布置图,确定中心标板及标高点。主体设备和连续生产线应埋设永久中心标板和标高基准点。

检查数量:全数检查。

检验方法:检查测量成果单,观察检查。

Ⅱ 一般项目

4.2.3 设备基础的平面位置坐标、标高、几何尺寸和地脚螺栓预留孔的位置应符合设计文件要求,当无设计文件要求时,应符合现行国家标准《机械设备安装工程施工及验收通用规范》GB 50231 的有关规定。

检查数量:全数检查。

检验方法:检查复查记录。

4.2.4 预埋件的位置、标高和水平度应符合设计文件的要求。

检查数量:全数检查。

检验方法:检查复查记录。

4.2.5 设备基础表面和地脚螺栓预留孔中的浮浆、碎石、泥土、油污、积水等杂物应清除。

 检查数量:全数检查。

 检验方法:观察检查。

4.2.6 设备二次灌浆前,应对设备基础进行凿毛处理,凿毛面积不应少于75%。

 检查数量:全数检查。

 检验方法:观察检查。

4.3 地 脚 螺 栓

Ⅰ 主 控 项 目

4.3.1 地脚螺栓的规格、材质应符合设计文件要求。

 检查数量:抽查20%,且不少于4个。

 检验方法:检查质量合格证明文件,钢尺量。

Ⅱ 一 般 项 目

4.3.2 地脚螺栓位置、标高应符合设计文件的要求。

 检查数量:全数检查。

 检验方法:检查复查记录。

4.3.3 地脚螺栓露出混凝土表面的螺纹长度应符合设计文件的要求。

 检查数量:抽查20%。

 检验方法:用钢尺量。

4.3.4 安装预留孔的地脚螺栓应垂直,任一部分离孔壁的距离应大于15.0mm,且不应碰孔底。

 检查数量:全数检查。

 检验方法:观察检查。

4.3.5 地脚螺栓的螺纹和螺母应无锈蚀、无缺损,螺纹部分并应涂有防锈蚀油脂。

检查数量:全数检查。

检验方法:观察检查。

4.3.6 地脚螺栓的螺母与螺栓手拧动应灵活。

检查数量:抽查20%。

检验方法:用手拧螺母。

4.4 垫 板

Ⅰ 主控项目

4.4.1 坐浆法设置垫板,坐浆混凝土48h的强度应达到基础混凝土的设计强度。

检查数量:逐批检查。

检验方法:检查坐浆试块强度试验报告。

Ⅱ 一般项目

4.4.2 设备垫板的设置应符合设计文件要求,当无设计文件要求时,应符合现行国家标准《机械设备安装工程施工及验收通用规范》GB 50231的有关规定。

检查数量:抽查20%。

检验方法:观察检查、钢尺量、塞尺检查、轻击垫板。

4.4.3 研磨法放置垫板的混凝土基础表面应凿平,混凝土表面与垫板的接触点应分布均匀。

检查数量:抽查20%。

检验方法:观察检查。

4.4.4 垫板在设备二次灌浆前应将垫板组进行定位,并应焊接牢固。

检查数量:全数检查。

检验方法:观察检查。

5 设备和材料进场

5.1 一般规定

5.1.1 设备搬运和吊装时,吊装点应在设备和包装箱的标示位置,且应有保护措施。

5.1.2 设备安装前,应开箱检查形成检验记录,开箱后应保护并应及时安装。

5.1.3 原材料进入现场,应按规格整齐存放,并应有防损伤措施。

5.2 设 备

主 控 项 目

5.2.1 设备的型号、规格、质量、数量应符合设计文件的要求。

检查数量:全数检查。

检验方法:观察检查,检查设备质量合格证明文件。

5.2.2 设备外观应无损伤、锈蚀。

检查数量:全数检查。

检验方法:观察检查。

5.3 材 料

主 控 项 目

原材料、标准件、钢构件、半成品等其型号、规格、质量、数量、性能应符合设计文件和国家现行产品标准的要求。进场时应进行验收,并形成验收记录。

检查数量:质量合格证明文件全数检查。实物抽查1‰,且不少于5件。设计文件或有关国家标准有复验要求的,应按规定进行复验。

检验方法:检查质量合格证明文件、复验报告及验收记录,外观检查或实测。

6 堆、取料机

6.1 一般规定

6.1.1 堆、取料机安装质量验收应适用于悬臂式斗轮堆取料机。

6.1.2 轨道安装应符合现行国家标准《起重设备安装工程施工及验收规范》GB 50278 有关的规定。

6.1.3 皮带机安装应符合现行国家标准《输送设备安装工程施工及验收规范》GB 50270 的有关规定。

6.1.4 高强度螺栓施工应符合设计文件要求,当无设计文件要求时,应符合现行行业标准《钢结构高强度螺栓连接技术规程》JGJ 82 的有关规定。

6.2 走行轮及走行平衡梁

Ⅰ 主控项目

6.2.1 机体安装的基准轨道应符合下列规定:

  1 轨道中心线距两钢轨中心间距的允许偏差为±4.0mm;

  2 两列走行轮中心在两条钢轨中心线上的矩形对角线之差不应大于 4.0mm;

  3 轨道顶面标高的允许偏差为±1.0mm。

  检查数量:全数检查。

  检验方法:钢尺量,水准仪测量。

Ⅱ 一般项目

6.2.2 走行轮及走行平衡梁安装的允许偏差和检验方法应符合表 6.2.2、图 6.2.2 的规定。

  检查数量:全数检查。

  检验方法:应符合表 6.2.2 的规定。

表6.2.2 走行轮及走行平衡梁安装的允许偏差和检验方法

项次	项目		允许偏差(mm)	检测部位	检验方法
1	走行轮	水平偏斜	$D/1000$	$X_1,X_2,X_3,$ $X_4,Y_1,Y_2,$ Y_3,Y_4	拉钢丝，钢尺量
2		同一端车轮同位差	2.0	$X_5,X_6,$ Y_5,Y_6	
3		端面垂直度	$D/1000$，且上轮缘应向外倾斜		吊线锤，钢尺量
4	走行平衡梁	纵、横间距	±2.0		钢尺量
5		上平面的对角线差	2.0		
6		上平面的水平度（纵、横方向）	1/1000		水平仪测量
7		上平面标高	±1.0		水准仪测量

注：D 为轮直径。

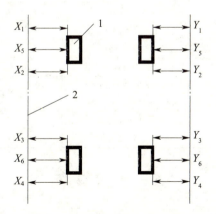

图 6.2.2 走行轮检测图
1—走行轮；2—测量辅助线

6.3 回转装置

Ⅰ 主控项目

6.3.1 回转轨道焊接后,焊缝应打磨平整,焊缝质量应符合设计文件要求。

检查数量:全数检查。

检验方法:观察检查,检查检测报告。

Ⅱ 一般项目

6.3.2 回转装置安装的允许偏差和检验方法应符合表6.3.2的规定。

检查数量:全数检查。

检验方法:应符合表6.3.2的规定。

表6.3.2 回转装置安装的允许偏差和检验方法

项次	项目		允许偏差(mm)	检验方法
1	回转轨道	轨道半径	±4.0	钢尺量
2		轨道顶面各点标高	±5.0	水准仪测量
3		定心支撑辊轨道半径	±4.0	钢尺量
4		回转销齿轮半径	±3.0	钢尺量
5		定心辊辊轮与轨道之间的间隙	±1.0	钢尺量
6		上平面纵、横方向水平度	1/1000	水平仪测量
7	回转平衡器	4个回转平衡器组成的正方形边长	±2.0	钢尺量
8		4个回转平衡器组成的正方形对角线差	4.0	

6.4 电缆卷筒

一般项目

6.4.1 电缆卷筒安装的允许偏差和检验方法应符合表6.4.1、图6.4.1的规定。

检查数量：全数检查。

检验方法：应符合表 6.4.1 的规定。

表 6.4.1　电缆卷筒安装的允许偏差和检验方法

项次	项　　目	允许偏差（mm）	检测部位	检验方法
1	卷筒水平度	1/1000	—	水平仪测量
2	卷筒对轨道基准线的水平偏斜	1.0	W_1、W_2	吊线锤，钢尺量

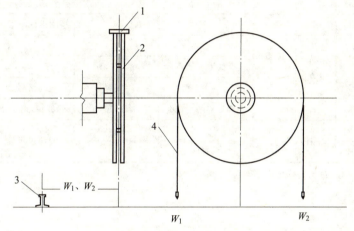

图 6.4.1　电缆卷筒检测图

1—水平仪；2—卷筒；3—行走轨道；4—线锤

6.5　皮带机、平衡锤、锚固锁紧器

Ⅰ　主控项目

6.5.1　平衡锤的安装和平衡实验应符合设计和设备技术文件的规定。

检查数量：全数检查。

检验方法：检查记录。

Ⅱ　一般项目

6.5.2　皮带机、平衡锤、锚固锁紧器安装的允许偏差和检验方法应符合表 6.5.2 的规定。

检查数量:全数检查。

检验方法:应符合表6.5.2的规定。

表6.5.2 皮带机、平衡锤、锚固锁紧器安装的允许偏差和检验方法

项次	项		目	允许偏差(mm)	检验方法
1	悬臂皮带机架	组装	中心线	3.0	拉钢丝,钢尺量
2			接点处下平面高差	5.0	
3		安装	中心线	10.0	经纬仪测量
4			标高	±10.0	水准仪测量
5	尾车皮带机架	组装	中心线	3.0	拉钢丝,钢尺量
6			接点处下平面高差	3.0	
7		安装	中心的水平偏差	5.0	经纬仪测量
8			中部支架的垂直度	$H/1000$	吊线锤,钢尺量
9	锚固锁紧器		平行度	3.0	经纬仪测量
10			垂直度	3.0	

注:H为支架高度。

7 煤调湿装置

7.1 一般规定

7.1.1 煤调湿装置应适用于蒸汽式煤调湿装置。

7.1.2 皮带机安装验收应符合现行国家标准《输送设备安装工程施工及验收规范》GB 50270 的有关规定。

7.1.3 除尘设备安装验收应符合现行国家标准《冶金除尘设备工程安装与质量验收规范》GB 50566 的有关规定。

7.2 支 撑 轮

Ⅰ 主控项目

7.2.1 上、下支撑轮的安装位置应符合设计文件的要求。

检查数量:全数检查。

检验方法:观察检查。

Ⅱ 一般项目

7.2.2 支撑轮底座安装的允许偏差和检验方法应符合表 7.2.2 的规定。

检查数量:全数检查。

检验方法:应符合表 7.2.2 的规定。

表 7.2.2 支撑轮底座安装的允许偏差和检验方法

项次	项 目	允许偏差(mm)	检验方法
1	纵、横向中心线	0.5	经纬仪测量
2	相邻两底座中心距	±1.0	钢尺量
3	相邻两底座对角线差	1.5	钢尺量
4	底座标高	±1.0	水准仪测量
5	相邻两底座高差	1.0	水准仪测量
6	底座表面倾斜度	0.1/1000	斜度规和框式水平仪测量

7.2.3 支撑轮安装的允许偏差和检验方法应符合表7.2.3的规定。

检查数量：全数检查。

检验方法：应符合表7.2.3的规定。

表7.2.3 支撑轮安装的允许偏差和检验方法

项次	项目	允许偏差(mm)	检验方法
1	纵、横向中心线	0.5	钢尺量
2	上、下支撑轮中心距	±0.5	钢尺量
3	上、下支撑轮对角线差	1.0	钢尺量
4	标高	±0.5	水准仪测量
5	上、下支撑轮高差	0.5	水准仪测量
6	支撑轮表面倾斜度	0.05/1000	斜度规和框式水平仪测量

7.3 筒 体

Ⅰ 主控项目

7.3.1 筒体的长度、周长、椭圆度实测值应符合设计文件要求。

检查数量：全数检查。

检验方法：用钢尺、样板测量。

7.3.2 筒体现场组装焊缝的焊接质量应符合设计文件要求。

检查数量：全数检查。

检验方法：检查焊缝检测记录。

Ⅱ 一般项目

7.3.3 筒体组装、安装的允许偏差和检验方法应符合表7.3.3的规定。

检查数量：全数检查。

检验方法：应符合表7.3.3的规定

表7.3.3 筒体组装、安装的允许偏差和检验方法

项次	项目	允许偏差(mm)	检验方法
1	筒体组装长度	±4.0L/10000	钢尺量
2	筒体组装对口错边量	3.0	量规

续表 7.3.3

项次	项 目	允许偏差(mm)	检验方法
3	筒体直线度	5.0L/10000	激光测位仪测量
4	滚圈处端面跳动值	≤3.0	跳动测量仪测量
5	进、出料密封处的径向跳动值	≤5.0	跳动测量仪测量
6	滚圈宽度中心线	1.0	钢尺量

注:L 为筒体长度。

7.3.4 筒体大齿轮与传动小齿轮面的接触面积,沿齿高不应少于40%,沿齿长不应少于60%。

检查数量:全数检查。

检验方法:用钢尺量。

7.3.5 传动装置安装的允许偏差和检验方法应符合表 7.3.5 的规定。

检查数量:全数检查。

检验方法:应符合表 7.3.5 的规定。

表 7.3.5 传动装置安装的允许偏差和检验方法

项次	项 目	允许偏差(mm)	检验方法
1	大、小齿圈宽度中心线	2.0	钢尺量
2	大齿圈外圆径向跳动值	1.5	跳动测量仪测量
3	大齿圈基准端面跳动值	1.0	跳动测量仪测量

7.4 进出料密封

Ⅰ 主 控 项 目

7.4.1 密封用密封填料规格、型号以及密封性应符合设计文件要求。

检查数量:全数检查。

检验方法:检查质量合格证明文件,观察检查。

Ⅱ 一般项目

7.4.2 进出料密封填料与筒体的接触间隙应符合设计文件的要求。

检查数量:全数检查。

检验方法:观察检查。

8 焦炉护炉铁件及操作平台

8.1 一般规定

8.1.1 焦炉护炉铁件及操作平台安装质量验收应适用于焦炉炉柱，小炉柱，保护板，炉门框及磨板，炉门，纵、横拉条，机侧和焦侧平台。

8.1.2 焦炉本体设备安装可根据施工工艺分为先砌筑后安装炉柱和先安装炉柱后砌筑两种施工工艺。

8.1.3 采用先砌筑后安装炉柱施工工艺的设备安装前，应有设备安装有关部位砌体的交接资料，并应进行复验确认。复验标准应符合现行国家标准《工业炉砌筑工程施工及验收规范》GB 50211 的有关规定。

8.1.4 设备安装前，应对上道工序测量成果实测检查，并应设置焦炉炉组轴线纵横中心线、边炭化室中心线和机、焦两侧正面线安装基准线、烟道中心线，且应埋设中心标板与标高基准点，精度应符合下列规定：

1 根据焦炉中心线向抵抗墙内侧投线测量允许偏差为 1.0mm；

2 焦炉中心线与炭化室中心线应成正交，其正交度不应大于 $\pm 0.4\sqrt{L}$ mm，其中，L 为焦炉中心距端点的距离，单位为 m；

3 焦炉两侧正面线，应根据焦炉中心线测设。两正面线测定后，应分别投测在抵抗墙内侧，其投点允许偏差为 1mm。

8.2 炉　　柱

Ⅰ 主控项目

8.2.1 炉床的混凝土边缘不应凸出焦炉砌体。

检查数量：全数检查。

检验方法:观察检查。

8.2.2 炉柱安装在炉床混凝土牛腿上时,炉床混凝土牛腿尺寸应符合设计文件要求,炉柱下部与牛腿间隙应符合设计文件要求,间隙内应无杂物。

检查数量:全数检查。

检验方法:观察检查,钢尺量。

8.2.3 安装炉柱前应复查炉柱的挠曲矢高,其值应小于5.0mm。

检查数量:全数检查。

检验方法:拉钢线,钢尺量。

8.2.4 炉柱底部与基础垫板之间应涂润滑脂。

检查数量:全数检查。

检验方法:观察检查。

Ⅱ 一般项目

8.2.5 炉柱安装检测的允许偏差和检验方法应符合表8.2.5、图8.2.5的规定。

检查数量:抽查10%。

检验方法:应符合表8.2.5的规定。

表8.2.5 炉柱安装的允许偏差和检验方法

项次	项	目	允许偏差(mm)			检验方法
1	炉柱垫板标高	先安装炉柱后砌筑	±1.0			水准仪测量
		先砌筑后安装炉柱	±5.0			
2	炉长方向的偏差 Y		炉底部	炭化室底部	炉顶部	
		先安装炉柱后砌筑	第一次	+5.0 0	+7.0 0	+16.0 −12.0	拉钢丝、钢尺量
			第二次	+5.0 0	+7.0 0	+16.0 −12.0	拉钢丝、钢尺量
		先砌筑后安装炉柱	炉柱紧贴保护板			目视检查

续表 8.2.5

项次	项目		允许偏差(mm)			检验方法
			炉底部	炭化室底部	炉顶部	
3	炉组方向的偏差 X	先安装炉柱后砌筑	第一次 ±3.0	±5.0	±7.0	拉钢丝、钢尺量
			第二次 ±3.0	±5.0	±3.0	拉钢丝、钢尺量
		先砌筑后安装炉柱	±3.0			钢尺量

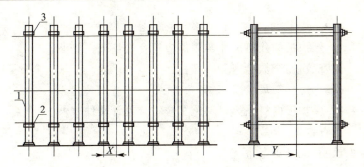

图 8.2.5 焦炉炉柱安装检测图
1—炉柱;2—下部拉条;3—上部拉条

8.2.6 小保护板与砌体接触应严密。其间隙应小于 1.0mm,连续长度不应大于 100.0mm。

检查数量:抽查 10%。

检验方法:观察检查,塞尺检查。

8.3 小 炉 柱

一 般 项 目

8.3.1 小炉柱应与蓄热室单墙面接触应严密,其间隙应小于 1.0mm,连续长度不应大于 100.0mm。

检查数量:抽查 20%。

检验方法:观察检查。

8.3.2 小炉柱中心线与辅助墙中心线距离的允许偏差为±2.0mm。

检查数量:抽查10%。

检验方法:钢尺量。

8.3.3 弹簧安装压缩后,根据出厂压缩的长度检查,其允许偏差为±2.0mm。

检查数量:抽查10%。

检验方法:钢尺量。

8.4 保 护 板

Ⅰ 主控项目

8.4.1 保护板的几何尺寸实测值应符合设计文件要求。

检查数量:全数检查。

检验方法:钢尺量。

8.4.2 保护板内衬隔热材料施工应符合设计文件要求。

检查数量:全数检查。

检验方法:观察检查。

8.4.3 密封用密封填料规格、型号及烧失量应符合设计文件要求。

检查数量:全数检查。

检验方法:检查质量合格证明文件。

8.4.4 保护板与焦炉炉肩部砌体不得接触,中间应填充密封填料,保护板底部与砖面间应垫密封材料。

检查数量:全数检查。

检验方法:观察检查。

8.4.5 安装前应检查保护板炭化室底线的标识,安装时其与炭化室底标高允许偏差为±1.0mm。

检查数量:全数检查。

检验方法:观察检查,钢尺量。

8.4.6 保护板安装前应检查筑炉交接的炭化室底部砌体标高实测值应符合设计文件要求。

检查数量:抽查10%。

检验方法:水准仪测量。

8.4.7 保护板侧边不得凸出炭化室墙。

检查数量:全数检查。

检验方法:观察检查。

Ⅱ 一 般 项 目

8.4.8 保护板安装的允许偏差和检验方法应符合表8.4.8、图8.4.8的规定。

检查数量:抽查10%。

检验方法:应符合表8.4.8的规定。

表 8.4.8 保护板安装的允许偏差和检验方法

项次	项 目		允许偏差（mm）	检测部位	检验方法
1	A类	炉组方向中心	3.0	X	钢尺量
2		标 高	±2.0	—	水准仪测量
3		相邻保护板间隙	+2.0 0	X_1	钢尺量
4	B类	炉长方向中心	+2.0 0	Y	经纬仪测量 (中、下部内侧)
5		炉组方向中心	2.0	X	经纬仪测量
6		相邻保护板间隙	+2.0 0	X_1	钢尺量
7		标 高	±2.0	—	水准仪测量

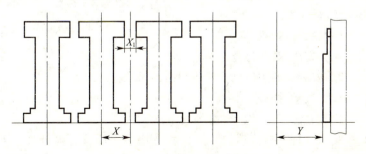

图 8.4.8 保护板安装检测图

8.4.9 采用先安装炉柱后砌筑施工工艺的保护板安装前,复验炉柱安装精度,其结果应符合表8.2.5的规定。

检查数量:抽查10%。

检验方法:经纬仪测量。

8.4.10 采用先砌筑后安装炉柱施工工艺的保护板加压紧固后,相邻保护板面应在同一垂直平面上,允许偏差为0~5.0mm。

检查数量:抽查10%。

检验方法:钢尺量。

8.4.11 保护板与砌体间密封填料应严实,密封填料的压缩量应符合设计文件要求。用1.0mm的塞尺插入时,连续插入的长度不应大于100.0mm。

检查数量:抽查10%。

检验方法:塞尺检查。

8.4.12 保护板与砌体间的密封填料有搭接时,搭接长度不应小于90.0mm。

检查数量:抽查20%。

检验方法:钢尺量。

8.5 炉门框及磨板

Ⅰ 主控项目

8.5.1 采用先砌筑后安装炉柱施工工艺的炉门框加压后,炉门框不应变形。

检查数量:抽查20%。

检验方法:观察检查。

8.5.2 安装后的炉门框内缘不得凸出保护板外缘。

检查数量:抽查20%。

检验方法:观察检查。

8.5.3 炉门框密封填料型号、规格及烧失量应符合设计文件要求。

检查数量:全数检查。

检验方法:检查质量合格证明文件。

8.5.4 炉门框磨板应固定,磨板顶面标高应低于炭化室底面。

检查数量:抽查20%。

检验方法:观察检查。

Ⅱ 一 般 项 目

8.5.5 炉门框安装的允许偏差和检验方法应符合表8.5.5的规定。

检查数量:抽查10%。

检验方法:应符合表8.5.5的规定。

表8.5.5 炉门框安装的允许偏差和检验方法

项次	项 目		允许偏差(mm)	检验方法
1	先砌筑后安装炉柱	炉门框中心偏差	2.0	经纬仪测量
2		磨板面水平度	$L/500$	水平仪测量
3		辊托架标高	±1.0	水准仪测量
4	先安装炉柱后砌筑	炉门框中心线	2.0	经纬仪测量
5		炉门框垂直度	4.0	吊线锤、钢尺量
6		辊托架标高	±0.5	水准仪测量

8.5.6 炉门框安装前,应检查炉门框与保护板定位销的几何尺寸,并应符合设计文件要求。

检查数量:抽查50%。

检验方法:钢尺量。

8.5.7 炉门框与保护板间各层密封填料接头位置应错开,炉门框密封填料有搭接时,搭接长度不应小于90.0mm。

检查数量:抽查20%。

检验方法:钢尺量。

8.5.8 密封填料应密实,压缩量应符合设计文件要求。

检查数量:抽查20%。

检验方法:塞尺检查。

8.5.9 炉门框上炭化室底标高标识与炭化室底标高允许偏差为±1.0mm。

检查数量:抽查20%。
检验方法:钢尺量。

8.6 炉 门

Ⅰ 主控项目

8.6.1 炉门安装前,炉门刀边和炉门门闩的弹簧应处于松开状态,小炉门启闭应灵活,无卡阻现象。

检查数量:全数检查。
检验方法:观察检查。

8.6.2 炉门内衬隔热材料施工应符合设计文件要求。

检查数量:抽查20%。
检验方法:观察检查。

Ⅱ 一般项目

8.6.3 炉门刀边与炉门框接触应密实,间隙应小于0.1mm,且间隙的连续长度应小于100.0mm。

检查数量:全数检查。
检验方法:塞尺检查。

8.6.4 炉门上、下门闩调整螺母与门闩间距应符合设计文件要求。

检查数量:抽查20%。
检验方法:钢尺量。

8.6.5 炉门门闩和刀边及螺栓调整应符合设计文件要求。

检查数量:全数检查。
检验方法:观察检查。

8.6.6 炉门托轮与炉门框托辊座间以及上、下门闩与挂钩间应吻合。

检查数量:抽查20%。
检验方法:观察检查。

8.7 纵、横拉条

Ⅰ 主控项目

8.7.1 弹簧应有出厂压缩值报告。

检查数量：全数检查。

检验方法：检查质量合格证明文件。

8.7.2 纵、横拉条不得有永久变形。

检查数量：全数检查。

检验方法：观察检查。

8.7.3 纵横拉条安装调整后，不应相互接触。

检查数量：全数检查。

检验方法：观察检查。

8.7.4 上部横拉条保护装置应符合设计文件要求，并应在保护套内自由移动。

检查数量：抽查10%。

检验方法：观察检查。

Ⅱ 一般项目

8.7.5 纵拉条焊缝质量应符合设计文件规定，焊缝位置应与燃烧室顶部错开。

检查数量：每一位焊工施焊焊缝总数的20%，且不少于2条。

检验方法：检查检测记录，观察检查。

8.7.6 上部横拉条在安装后，应保持平直，其标高及中心允许偏差为±5.0mm。

检查数量：抽查10%。

检验方法：水准仪、经纬仪测量。

8.7.7 纵横拉条弹簧安装压缩后，根据出厂压缩长度检查，其允许偏差为±2.0mm。

检查数量：抽查10%。

检验方法：钢尺量。

8.8 机侧和焦侧平台

一 般 项 目

8.8.1 机、焦侧平台安装的允许偏差和检验方法应符合表 8.8.1 的规定。

　　检查数量:抽查 10%。

　　检验方法:应符合表 8.8.1 的规定。

表 8.8.1　机、焦侧平台安装的允许偏差和检验方法

项次	项　　目		允许偏差(mm)	检验方法
1	柱顶标高		0 -5.0	水准仪测量
2	柱纵、横中心距离		±5.0	钢尺量
3	柱垂直度		$H/1000$	吊线锤、钢尺量
4	操作台标高 (钢梁表面)	焦侧	±3.0	水准仪测量
5		机侧	±5.0	
6	钢梁端部至炉柱间距		+5.0 0	钢尺量
7	平台牛腿标高		0 -5.0	水准仪测量

注:H 为柱的高度。

8.8.2 机、焦侧平台上铺设的铸铁板表面标高允许偏差为±5.0mm。

　　检查数量:抽查 10%。

　　检验方法:水准仪测量。

8.8.3 拦焦机轨道间铺设的铸铁板坡度应符合设计文件规定。

　　检查数量:抽查 10%。

　　检验方法:水平仪测量。

9 焦炉炉下加热及交换装置

9.1 一般规定

9.1.1 液压、滑润和气动设备安装应符合现行国家标准《冶金机械液压、滑润和气动设备工程安装验收规范》GB 50387 的有关规定。

9.1.2 管道安装应符合现行国家标准《工业金属管道工程施工质量验收规范》GB 50184 的有关规定。

9.2 煤气主管、分配支管、水平支管、下喷管

Ⅰ 主控项目

9.2.1 管道安装基准线应依据焦炉基准线在基础上设置。

检查数量:全数检查。

检验方法:观察检查,检查记录。

9.2.2 阀门的规格、型号应符合设计文件要求。安装前应做气密性试验,其结果应符合设计文件要求。

检查数量:全数检查。

检验方法:检查质量合格证明文件。

9.2.3 煤气管道组装、焊接应符合设计文件要求,当无设计文件要求时,应符合现行国家标准《工业金属管道工程施工质量验收规范》GB 50184 和《现场设备、工业管道焊接工程施工规范》GB 50236 的有关规定。

检查数量:全数检查。

检验方法:观察检查,检查记录。

9.2.4 煤气管道安装完成后,应进行系统气密性试验,应符合设计文件,当无设计文件要求时,应符合现行国家标准《工业金属管道工程施工质量验收规范》GB 50184 的有关规定。

检查数量:全数检查。

检验方法:观察检查,检查记录。

9.2.5 煤气及冷凝水管道坡度应符合设计文件要求。

检查数量:全数检查。

检验方法:水平仪测量。

Ⅱ 一 般 项 目

9.2.6 煤气主管、支管安装的允许偏差和检验方法应符合表9.2.6的规定。

检查数量:抽查10%。

检验方法:应符合表9.2.6的规定。

表9.2.6 煤气主管、支管安装的允许偏差和检验方法

项次	项 目		允许偏差(mm)	检验方法
1	机侧混合煤气 焦侧混合煤气 焦炉煤气	主管中心	5.0	经纬仪测量
2	机侧混合煤气 焦侧混合煤气 焦炉煤气	主管标高	±5.0	水准仪测量
3	分配立管中心		3.0	钢尺量
4	分配立管法兰水平度		1/500	水平仪测量
5	分配立管法兰标高		±5.0	水准仪测量

9.2.7 支管在主管上接出时,主管上的开孔直径大于支管外径不宜超过5.0mm,支管插入深度不宜超过3.0mm。

检查数量:全数检查。

检验方法:钢尺量。

9.2.8 主管的固定托座和滑动托座安装应符合设计文件要求。

检查数量:抽查10%。

检验方法:观察检查。

9.3 调节旋塞、交换旋塞和孔板盒

Ⅰ 主控项目

9.3.1 交换旋塞的奇、偶数编号和开、闭状态以及刻印的方向指示应符合设计文件要求。

检查数量:全数检查。

检验方法:观察检查。

9.3.2 调节旋塞、交换旋塞和孔板盒强度试验应符合设计文件要求。

检查数量:全数检查。

检验方法:检查质量合格证明文件。

Ⅱ 一般项目

9.3.3 交换旋塞扳把与旋塞方头的上、下处间隙不应大于 0.3mm,左右两侧不应有间隙。

检查数量:抽查 10%。

检验方法:塞尺检查。

9.3.4 交换旋塞中心应在一条直线上,允许偏差为 3.0mm。

检查数量:抽查 10%。

检验方法:经纬仪测量。

9.4 烟道弯管

一般项目

9.4.1 烟道弯管中心线允许偏差为 5.0mm,烟道弯管中心间距允许偏差为 ±5.0mm。

检查数量:抽查 10%。

检验方法:经纬仪测量,钢尺量。

9.4.2 烟道弯管管口标高允许偏差为 ±5.0mm。

检查数量:抽查 10%。

检验方法:水准仪测量。

9.4.3 烟道弯管管口应水平,其允许偏差为 $D/500$(D 为管口直

径,单位:mm)。

检查数量:抽查10%。

检验方法:水平仪测量。

9.5 废气交换开闭器

Ⅰ 主 控 项 目

9.5.1 废气交换开闭器安装前,应按设计文件要求作煤气铊及废气铊严密性试验。

检查数量:全数检查。

检验方法:检查试验报告。

9.5.2 空气盖在全关闭状态下,接触面的间隙应小于0.05mm。

检查数量:抽查10%。

检验方法:塞尺检查。

9.5.3 废气交换开闭器密封填料型号、规格及烧失量应符合设计文件要求。

检查数量:全数检查。

检验方法:检查质量合格证明文件。

Ⅱ 一 般 项 目

9.5.4 废气阀内风门调节翻板开关方向应一致,刻度盘上应标出开、闭位置和方向指示。

检查数量:全数检查。

检验方法:观察检查。

9.5.5 废气铊杆或煤气铊杆不应弯曲,在提起或自由下降时应无卡阻现象。

检查数量:全数检查。

检验方法:观察检查。

9.5.6 阀体内的翻板转动应灵活,翻板在关闭位置时无卡死现象。

检查数量:全数检查。

检验方法:观察检查。

9.5.7 小烟道连接管与小烟道承插口四周的缝隙应均匀,阀体与烟道弯管承插口四周缝隙应均匀,废气交换开闭器纵向中心线允许偏差为3.0mm。

检查数量:抽查10%。

检验方法:拉钢丝、钢尺量。

9.5.8 废气交换开闭器双岔管法兰中心标高允许偏差为±5.0mm,法兰面的垂直度不应大于$D/500$(D为法兰直径,单位:mm)。

检查数量:抽查10%。

检验方法:水准仪测量,吊线锤,钢尺量。

9.5.9 在交换油缸的行程允许偏差范围内,检查废气铊杆、煤气铊杆的行程,其提铊高度允许偏差为±5.0mm。

检查数量:抽查10%。

检验方法:水准仪测量,钢尺量。

9.6 煤气交换机

Ⅰ 主 控 项 目

9.6.1 交换油缸与前后链轮的中心线允许偏差为3.0mm。

检查数量:抽查10%。

检验方法:钢尺量。

Ⅱ 一 般 项 目

9.6.2 交换油缸安装的允许偏差和检验方法应符合表9.6.2的规定。

检查数量:抽查10%。

检验方法:应符合表9.6.2的规定。

表9.6.2 交换油缸安装的允许偏差和检验方法

项次	项 目	允许偏差(mm)	检验方法
1	中心线	2.0	挂钢丝、钢尺量
2	水平度	1.0/500	水平仪测量
3	标高	±2.0	水准仪测量

9.6.3 交换油缸的行程允许偏差为±10.0mm。

检查数量:抽查10%。

检验方法:钢尺量。

9.7 交换传动机构

Ⅰ 主控项目

9.7.1 交换扳把安装前应对照加热系统图检查交换旋塞的开闭位置,开闭交换旋塞的扳把在全开、全闭位置的允许偏差为±2.0mm。

检查数量:抽查10%。

检验方法:钢尺量。

9.7.2 废气阀铊杆拉条的支承滑轮应托住拉条,滑轮中心线允许偏差为3.0mm;滑轮标高允许偏差为±5.0mm。

检查数量:抽查10%。

检验方法:钢尺量,水准仪测量。

9.7.3 开闭废气阀的扳把安装前应对照加热系统图和交换开闭器动作图,检查扳把方向和扇形轮、空气门传动杠杆运动状态,扳把在全开、全闭位置的允许偏差均为±3.0mm。

检查数量:抽查10%。

检验方法:钢尺量。

Ⅱ 一般项目

9.7.4 交换传动机构安装的允许偏差和检验方法应符合表9.7.4的规定。

检查数量:抽查10%。

检验方法:应符合表9.7.4的规定。

表9.7.4 交换传动机构安装的允许偏差和检验方法

项次	项 目	允许偏差(mm)	检验方法
1	链轮座中心	3.0	吊线锤、钢尺量
2	链轮座标高	±5.0	水准仪测量
3	拉杆支座中心	3.0	吊线锤、钢尺量
4	拉杆支座标高	±5.0	水准仪测量

9.7.5 交换传动拉条行程的允许偏差为±10.0mm。

检查数量：抽查10%。

检验方法：钢尺量。

9.8 烟道闸板阀

一般项目

9.8.1 烟道闸板安装时应保持垂直，转动灵活，密封盖板应严密，刻度盘开、关位置及开闭方向应符合设计文件要求。

检查数量：抽查10%。

检验方法：水平仪测量，观察检查。

9.8.2 烟道闸板安装前应进行预组装，翻板与烟道的间隙允许偏差为±5.0mm。

检查数量：全数检查。

检验方法：钢尺量，观察检查。

9.8.3 烟道闸板阀安装的允许偏差和检验方法应符合表9.8.3的规定。

检查数量：抽查10%。

检验方法：应符合表9.8.3的规定。

表 9.8.3 烟道闸板阀安装的允许偏差和检验方法

项次	项 目	允许偏差(mm)	检验方法
1	中心	10.0	钢尺量
2	标高	±10.0	水准仪测量
3	顶部横梁水平度	1.0/1000	水平仪测量

10 焦炉炉顶装置

10.1 一般规定

10.1.1 氨水管道安装应符合现行国家标准《工业金属管道工程施工质量验收规范》GB 50184 的有关规定。

10.1.2 氨水管道焊接应符合设计文件要求,并应符合现行国家标准《现场设备、工业管道焊接工程施工规范》GB 50236 的有关规定。

10.2 集气管及氨水管

Ⅰ 主控项目

10.2.1 集气管焊缝应按设计文件要求进行无损检测。

　　检查数量:全数检查。

　　检验方法:检查检测报告。

10.2.2 集气管封闭前应将管内杂物清扫干净。

　　检查数量:全数检查。

　　检验方法:观察检查。

10.2.3 高、低压氨水管道应按设计文件要求作水压试验。当设计无要求时,试验压力为工作压力的 1.5 倍,30min 无渗漏应为合格。

　　检查数量:全数检查。

　　检验方法:检查试压记录。

10.2.4 氨水管道试压合格后管内应无杂物及污水。

　　检查数量:抽查 10%。

　　检验方法:检查冲洗记录,观察检查。

Ⅱ 一般项目

10.2.5 集气管宜在烘炉前检查验收合格。

　　检查数量:全数检查。

检验方法:检查安装验收记录。

10.2.6 集气管安装的允许偏差和检验方法应符合表10.2.6规定。

检查数量:抽查10％。

检验方法:应符合表10.2.6的规定。

表10.2.6 集气管安装的允许偏差和检验方法

项次	项　　目	允许偏差(mm)	检验方法
1	集气管中心	3.0	钢尺量
2	集气管标高	±5.0	水准仪测量
3	集气管与桥管连接法兰纵、横中心	3.0	钢尺量
4	集气管水封法兰标高	±3.0	水准仪测量

10.3 上升管、桥管

Ⅰ 主控项目

10.3.1 上升管、桥管密封填料型号、规格及烧失量应符合设计文件要求。

检查数量:全数检查。

检验方法:检查质量合格证明文件。

Ⅱ 一般项目

10.3.2 高、低压氨水转换机构转动应灵活,开闭状态应正确,氨水喷射应良好,不得使氨水喷入炭化室内。

检查数量:全数检查。

检验方法:手扳动、观察检查。

10.3.3 上升管任意两底座中心距允许偏差为3.0mm。

检查数量:抽查10％,且不少于10点。

检验方法:钢尺量。

10.3.4 上升管安装的允许偏差和检验方法应符合表10.3.4的规定。

检查数量:抽查10%,且不少于10点。

检验方法:应符合表10.3.4的规定。

表10.3.4 上升管安装的允许偏差和检验方法

项次	项目	允许偏差(mm)	检验方法
1	上升管管体中心	3.0	钢尺量
2	上升管管顶盖标高	±5.0	水准仪测量
3	上升管管体垂直度	$H/500$	吊线锤、钢尺量

注:H 为管体高度。

10.4 拦焦、装煤除尘导管

一 般 项 目

10.4.1 管道法兰应紧固,密封应无损坏,支吊架应牢固。

检查数量:抽查10%。

检验方法:观察检查。

10.4.2 防爆阀应无卡阻现象。

检查数量:全数检查。

检验方法:观察检查。

10.4.3 除尘导管各固定接口法兰端面至拦焦车、装煤车轨道中心线距离的允许偏差为±20.0mm。

检查数量:全数检查。

检验方法:拉钢丝、钢尺量。

10.4.4 除尘导管各固定接口中心与相应的各碳化室的中心线的允许偏差为40.0mm。

检查数量:全数检查。

检验方法:拉钢丝、钢尺量。

11 焦炉附属设施

11.1 炉门修理站、推焦杆和平煤杆试验、更换站设备

一 般 项 目

11.1.1 炉门修理站设备安装的允许偏差和检验方法应符合表11.1.1的规定。

检查数量:抽查10%,且不少于10点。

检验方法:应符合表11.1.1的规定。

表11.1.1 炉门修理站设备安装的允许偏差和检验方法

项次	项 目	允许偏差(mm)	检验方法
1	卷扬机中心	5.0	吊线锤、钢尺量
5	卷扬机标高	±5.0	水准仪测量
2	固定框架中心	5.0	吊线锤、钢尺量
6	固定框标高	±5.0	水准仪测量
3	固定框架垂直度	$H/1000$	吊线锤、钢尺量
4	起落架轨距	±3.0	钢尺量
7	起落架导轨标高	±2.0	水准仪测量

注:H 为框架高度。

11.1.2 推焦杆和平煤杆试验、更换站设备等安装允许偏差和检验方法应符合表11.1.2的规定。

检查数量:抽查10%,且不少于10点。

检验方法:应符合表11.1.2的规定。

表 11.1.2 推焦杆试验、更换站设备等安装允许偏差和检验方法

项次	项目		允许偏差(mm)	检验方法
1	平煤杆试验托轮组纵向中心		5.0	吊线锤,钢尺量
2	平煤杆试验托轮组	标高	0 −5.0	水准仪测量
		相对高差	2.0	
3	推焦杆试验台纵向中心		5.0	吊线锤,钢尺量
4	推焦杆试验台标高		0 −5.0	水准仪测量

11.2 煤塔给煤装置

一 般 项 目

11.2.1 煤塔漏嘴、放煤皮带机的安装允许偏差和检验方法应符合表11.2.1的规定。

检查数量:抽查10%。

检验方法:应符合表11.2.1的规定。

表 11.2.1 煤塔漏嘴、放煤皮带机的安装允许偏差和检验方法

项次	项目	允许偏差(mm)	检验方法
1	漏嘴(皮带机)中心	5.0	拉钢丝、钢尺量
2	漏嘴标高	±5.0	水准仪测量
3	皮带机标高	±5.0	水准仪测量

11.3 摇动给料机

一 般 项 目

11.3.1 摇动给料机的安装允许偏差和检验方法应符合表11.3.1的规定。

检查数量:全数检查。

检验方法:应符合表11.3.1的规定。

表 11.3.1 摇动给料机的安装允许偏差和检验方法

项次	项 目	允许偏差(mm)	检验方法
1	下煤口中心	5.0	拉钢丝、钢尺量
2	摇动给料机槽口标高	±5.0	水准仪测量
3	给料槽与固定槽间隙	2.0	钢尺量

11.4 煤塔装煤称量装置

Ⅰ 主控项目

11.4.1 称量机轨道段的轨道接头处顶面应低于两端轨道顶面 0~1.0mm。

检查数量:全数检查。

检验方法:水准仪测量。

Ⅱ 一般项目

11.4.2 煤塔装煤称量装置安装的允许偏差和检验方法应符合表 11.4.2 的规定。

检查数量:全数检查。

检验方法:应符合表 11.4.2 的规定。

表 11.4.2 煤塔装煤称量装置安装的允许偏差和检验方法

项次	项 目	允许偏差(mm)	检验方法
1	传感器中心	1.0	钢尺量
2	传感器标高	±1.0	水准仪测量
3	传感器底座水平度	1.0/1000	水平仪测量
4	轨道标高	±2.0	水准仪测量
5	轨道中心	2.0	经纬仪测量

11.5 推焦机、装煤车、导烟车、焦罐车轨道

一般项目

11.5.1 两平行轨道接头位置应错开,其错开距离不应等于前后

轮基距。

　　检查数量:抽查10%,且不少于2处。
　　检验方法:观察检查。

11.5.2 同端两侧车挡与缓冲器应同时接触。
　　检查数量:全数检查。
　　检验方法:观察检查。

11.5.3 推焦机、装煤车、导烟车、焦罐车轨道安装的允许偏差和检验方法应符合表11.5.3的规定。
　　检查数量:抽查10%,且不少于10点。
　　检验方法:应符合表11.5.3的规定。

表11.5.3　推焦机、装煤车、导烟车、焦罐车轨道
安装的允许偏差和检验方法

项次	项 目	允许偏差(mm)	检验方法
1	轨道中心	2.0	经纬仪测量
2	标 高	±5.0	水准仪测量
3	接头间隙	+1.0 0	钢尺量
4	接头错位	1.0	钢尺量、塞尺检查
5	跨 距	±2.0	钢尺量

11.6　拦焦机轨道

一 般 项 目

11.6.1 两平行轨道接头位置应错开,其错开距离不应等于前后轮基距。

　　检查数量:抽查10%,且不少于2处。
　　检验方法:观察检查。

11.6.2 同端两侧车挡与缓冲器应同时接触。
　　检查数量:全数检查。

检验方法:观察检查。

11.6.3 拦焦机轨道安装的允许偏差和检验方法应符合表11.6.3的规定。

检查数量:抽查10%。

检验方法:应符合表11.6.3的规定。

表11.6.3 拦焦机轨道安装的允许偏差和检验方法

项次	项 目		允许偏差(mm)	检验方法
1	轨道面标高	炉侧	±2.0	水准仪测量
		反炉侧 有一根轨道在除尘支架上	±2.0	水准仪测量
		反炉侧 无轨道在除尘支架上	+3.0 0	水准仪测量
2	轨道中心		2.0	经纬仪测量
3	轨道跨距		±2.0	钢尺量
4	接头间隙		+1.0 0	钢尺量
5	接头错位		1.0	钢尺、塞尺量

11.7 捣固机轨道

一 般 项 目

11.7.1 两平行轨道接头位置应错开,其错开距离不应等于前后轮基距。

检查数量:抽查10%,且不少于2处。

检验方法:观察检查。

11.7.2 捣固机轨道安装的允许偏差和检验方法应符合表11.7.2的规定。

检查数量:抽查10%,且不少于10点。

检验方法:应符合表11.7.2的规定。

表11.7.2 捣固机轨道安装的允许偏差和检验方法

项次	项目	允许偏差(mm)	检验方法
1	轨道中心	2.0	经纬仪测量
2	标高	±2.0	水准仪测量
3	接头间隙	+1.0 0	钢尺量
4	接头错位	1.0	钢尺量、塞尺检查
5	跨距	±2.0	钢尺量

11.8 余煤提升装置

一般项目

11.8.1 连接螺栓应紧固。

检查数量:抽查20%,且不少于10处。

检验方法:用扳手检查。

11.8.2 料斗滑行轨道接头应平直,钢丝绳应防锈、扎头牢固,滑轮传动灵活,卷扬制动可靠。

检查数量:抽查20%,且不少于5处。

检验方法:观察检查。

11.8.3 提升装置安装的允许偏差和检验方法应符合表11.8.3的规定。

检查数量:抽查10%,且不少于10点。

检验方法:应符合表11.8.3的规定。

表11.8.3 提升装置安装的允许偏差和检验方法

项次	项目		允许偏差(mm)	检验方法
1	卷扬机 纵横中心	纵向	5.0	经纬仪测量
2		横向	5.0	经纬仪测量
3	支架 纵横中心	纵向	5.0	经纬仪测量
4		横向	5.0	经纬仪测量
5	卷扬机标高		±10.0	水准仪测量

续表 11.8.3

项次	项目	允许偏差(mm)	检验方法
6	支架标高	±10.0	水准仪测量
7	支架垂直度	$H/1000$	吊线锤、钢尺量
8	料斗滑行轨道间距	±3.0	钢尺量
9	轨道接头错位	1.0	钢尺量、角尺检查

注：H 为支架高度。

12 推焦机

12.1 一般规定

12.1.1 推焦机安装前应对走行轨道进行检查验收,未经验收合格的轨道,不应进行设备安装。

12.1.2 推焦机安装前在选定的安装基准段轨道面上应设置安装基准线和基准点,基准线正交度允许偏差为 0.1/1000。

12.1.3 推焦机安装基准段轨道作沉降观测,各车轮轮底高差应小于 2.0mm。

12.1.4 焊接质量应符合设计要求,当无设计文件要求时,应符合现行国家标准《现场设备、工业管道焊接工程施工质量验收规范》GB 50683 的有关规定。

12.1.5 液压、滑润和气动设备安装应符合现行国家标准《冶金机械液压、滑润和气动设备工程安装验收规范》GB 50387 的有关规定。

12.2 走行装置

Ⅰ 主控项目

12.2.1 安装基准段的走行轨道上,应设置符合规定的安装基准线和标高基准点。

　　检查数量:全数检查。

　　检验方法:检查测量资料。

Ⅱ 一般项目

12.2.2 两侧走行平衡台车调整后,应采取措施临时固定。

　　检查数量:全数检查。

　　检验方法:观察检查。

12.2.3 走行装置安装的允许偏差和检验方法应符合表12.2.3、图12.2.3的规定。

检查数量:全数检查。

检验方法:应符合表12.2.3的规定。

表12.2.3 走行装置安装的允许偏差和检验方法

项次	项目	允许偏差(mm)	检测部位	检验方法
1	走行车轮前后车轮组距	±2.0	X	钢尺量
2	走行大梁跨距	±2.0	Y_1、Y_2	
3	走行大梁对角线之差	3.0	Z_1、Z_2	
4	两侧车轮在水平方向的偏斜	$L/1000$	—	拉钢丝,钢尺量
5	同侧车轮的同位差	2.0	Y	
6	车轮端面垂直度	$D/500$	—	水平仪测量
7	各车轮标高差	2.0	—	水准仪测量

注:L为两测点距离;D为车轮直径,车轮端面上轮缘应向轨道外倾斜。

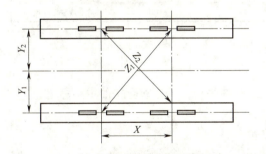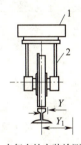

(a)走行装置走行大梁安装检测图　　(b)走行车轮安装检测图

图12.2.3 走行装置安装检测图
1—走行大梁;2—走行车轮支座

12.3 机体钢构架

一般项目

12.3.1 机体钢构架安装后,应对走行装置的安装精度进行复测,并应符合本规范表12.2.3的规定。

检查数量:抽查10%,且不少于5处。

检验方法:应符合表12.2.3。

12.3.2 组装用连接螺栓应紧固,并应有防松焊接。

检查数量:抽查10%的数量,且不少于10套。

检验方法:观察检查。

12.3.3 机体钢构架安装的允许偏差和检验方法应符合表12.3.3的规定。

检查数量:抽查10%。

检验方法:应符合表12.3.3的规定。

表12.3.3 机体钢构架安装的允许偏差和检验方法

项次	项 目		允许偏差(mm)	检验方法
1	矩形框架对应边长之差		3.0	钢尺量
2	矩形框架对角线之差		4.0	钢尺量
3	平台梁	标高	±15.0	水准仪测量
		相对差	10.0	
4	立柱垂直度		1/1000	吊线锤、钢尺量

12.4 推焦装置

Ⅰ 主控项目

12.4.1 推焦装置安装前,在平台梁上应有合格的中心标记。

检查数量:全数检查。

检验方法:检查测量资料。

Ⅱ 一般项目

12.4.2 推焦杆全伸出时的下挠值应符合设计文件要求。

检查数量:全数检查。

检验方法:水准仪测量。

12.4.3 推焦杆进入到炭化室端部处时,推焦杆滑靴与炭化室底部的间隙应符合设计规定。

检查数量:全数检查。

检验方法:水准仪测量。

12.4.4 推焦装置安装的允许偏差和检验方法应符合表12.4.4的规定。

检查数量：全数检查。

检验方法：应符合表12.4.4的规定。

表12.4.4 推焦装置安装的允许偏差和检验方法

项次	项	目	允许偏差(mm)	检验方法
1	推焦机炉侧轨道中心线与推焦杆中心线正交度		0.1/1000	经纬仪测量
2	支承辊	中心	1.0	拉钢丝，钢尺量
3	支承辊	标高	±3.0	水准仪测量
	支承辊	相对高差	1.0	水准仪测量
5	支承辊	同一辊面两端标高相对差	0.5	水准仪测量
6	推焦杆	旁弯	8.0	拉钢丝，钢尺量
7	推焦杆	推焦杆中心线	1.0	拉钢丝，钢尺量
9	推焦杆	推焦头垂直度	8.0	吊线锤，钢尺量
10	推焦杆	齿条接头间隙	0.2	塞尺检查
11	推焦杆	齿条接头错位	1.0	钢尺量

12.5 摘 门 装 置

一 般 项 目

12.5.1 摘取门装置的安装允许偏差检查时摘取门装置应处于工作位置。

检查数量：全数检查。

检验方法：观察检查。

12.5.2 摘门装置安装的允许偏差和检验方法应符合表12.5.2的规定(图12.5.2)。

检查数量：全数检查。

检验方法：应符合表12.5.2的规定。

表 12.5.2 摘门装置安装的允许偏差和检验方法

项次	项 目		允许偏差（mm）	检测部位	检验方法
1	摘门机轨道	标高	±5.0	H	水准仪测量
2		任意两点标高相对差	2.0	—	
3		同一横断面上的标高相对差	2.0	—	
4		同侧上、下两轨道间距	+2.0 −0.5	H_a	钢尺量
5		与摘门装置中心距离	+1.0 0	X、X_b	
6		轨道中心与推焦中心的距离	±2.0	—	拉钢丝,钢尺量
7	摘门机	托架上下回转轴承同心度	0.5	—	吊线锤,钢尺量
8		上门钩标高	±5.0	H_c	水准仪测量
9		门钩中心与推焦杆中心的距离	±5.0	X_a	吊线锤,钢尺量
10		取门位置,摘取机头左右倾斜	8.0		
11		取门位置,摘取机头前后倾斜	6.0		
12		上、下门钩间距	±5.0	H_d	钢尺量

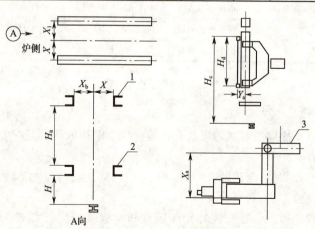

（a）走行轨道安装检测图　　（b）摘门机安装检测图

图 12.5.2 摘门装置安装检测图

1—上部轨道；2—下部轨道；3—摘门装置

12.6 炉门框清扫装置

Ⅰ 主控项目

12.6.1 炉门框清扫装置安装前,在平台梁上应有合格的中心标记。

检查数量:全数检查。

检验方法:检查测量资料。

Ⅱ 一般项目

12.6.2 炉门框清扫装置安装的允许偏差和检验方法应符合表12.6.2、图12.6.2的规定。

检查数量:抽查5%。

检验方法:应符合表12.6.2的规定。

表12.6.2 炉门框清扫装置安装的允许偏差和检验方法

项次	项	目	允许偏差(mm)	检测部位	检验方法
1	炉门清扫机轨道	轨道标高	±5.0	H	水准仪测量
2		轨道全行程上任意两点标高相对差	2.0	—	
3		左右两轨道同一横断面上的标高相对差	2.0	—	
4		同侧上、下两轨道间距	+2.0 −0.5	H_1	钢尺量
5		左右轨道与炉门清扫装置中心距离	+1.0 0	X、X_1	
6		轨道中心与推焦中心的距离	±2.0	—	
7	炉门清扫机	炉门框清扫头在工作位置沿炭化室宽度方向垂直度	8.0	X	吊线锤,钢尺量
8		炉门框清扫头在工作位置沿炭化室长度方向垂直度	10.0	Y	
9		清扫头在工作位置中心与推焦杆中心的偏差	±5.0	—	

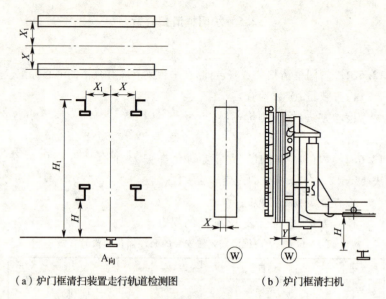

（a）炉门框清扫装置走行轨道检测图　　（b）炉门框清扫机

图 12.6.2　推焦炉门框清扫装置安装检测图

12.7　炉门清扫装置

Ⅰ　主　控　项　目

12.7.1　炉门清扫装置安装前,在平台梁上应有合格的中心标记。

　　检查数量:全数检查。

　　检验方法:检查测量资料。

Ⅱ　一　般　项　目

12.7.2　清扫刮刀传动链轮和链条的表面应清洁、无锈蚀。

　　检查数量:全数检查。

　　检验方法:观察检查。

12.7.3　炉门清扫装置安装的允许偏差和检验方法应符合表 12.7.3、图 12.7.3 的规定。

　　检查数量:全数检查。

　　检验方法:应符合表 12.7.3 的规定。

表12.7.3 炉门清扫装置安装的允许偏差和检验方法

项次	项 目		允许偏差（mm）	检测部位	检验方法
1	清扫机轨道	轨道标高	±5.0	H	水准仪测量
2		轨道全行程上任意两点标高相对差	2.0	—	
3		左右两轨道同一横断面上的标高相对差	2.0	—	
4		同侧上、下两轨道间距	+2.0 −0.5		钢尺量
5		左右轨道与炉门清扫装置中心距离	+1.0 0	X、X_1	
6	清扫机	工作位置清扫头左右倾斜	8.0	X_a	吊线锤，钢尺量
7		工作位置清扫头前后倾斜	8.0	Y_a	
8		标高	±5.0	—	—

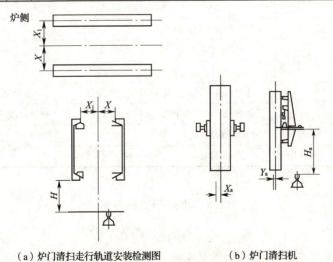

（a）炉门清扫走行轨道安装检测图　　（b）炉门清扫机

图12.7.3 炉门清扫装置安装检测图

12.8 平煤装置

Ⅰ 主控项目

12.8.1 平煤装置安装前,在机体平台梁上应有合格的中心标记。

检查数量:全数检查。

检验方法:检查测量资料。

Ⅱ 一般项目

12.8.2 平煤装置安装的允许偏差和检验方法应符合表 12.8.2 的规定。

检查数量:全数检查。

检验方法:应符合表 12.8.2 的规定。

表 12.8.2 平煤装置安装的允许偏差和检验方法

项次	项	目	允许偏差(mm)	检验方法
1	支撑辊	辊中心与平煤中心的距离	±2.0	拉钢丝,钢尺量
2		标高	±5.0	水准仪测量
3		相对差	1.0	
		同一辊面两端相对差	0.5	
4	平煤杆	侧弯	8.0	拉钢丝,钢尺量
5		下挠	15.0	
6	平煤装置	小炉门开闭机构标高	±5.0	水准仪测量
7		小炉门开闭机构中心	3.0	拉钢丝,钢尺量
8		溜槽中心	3.0	水准仪测量
9		溜槽标高	±5.0	

12.9 小炉门清扫装置

Ⅰ 主控项目

12.9.1 小炉门清扫装置安装前,在平台梁上应有合格的中心标记。

检查数量:全数检查。

检验方法:检查测量资料。

12.9.2 台车与轨道间无卡阻现象。

检查数量:全数检查。

检验方法:观察检查。

Ⅱ 一般项目

12.9.3 小炉门清扫装置安装的允许偏差和检验方法应符合表12.9.3的规定。

检查数量:抽查10%。

检验方法:应符合表12.9.3的规定。

表12.9.3 小炉门清扫装置安装的允许偏差和检验方法

项次	项目	允许偏差(mm)	检验方法
1	轨道标高	±5.0	水准仪测量
2	轨道全行程上任意两点的标高相对差	2.0	水准仪测量
3	左右两轨道同一横断面上的标高相对差	2.0	水准仪测量
4	小炉门面清扫装置与小炉门清扫装置中心距离	±3.0	钢尺量
5	框面清扫装置与小炉门清扫装置中心距离	±3.0	—
6	小炉门开闭机构标高	±5.0	水准仪测量
7	上升管基部清扫装置标高	±5.0	水准仪测量

12.10 机侧除尘装置

Ⅰ 主控项目

12.10.1 机侧除尘装置安装前,在平台梁上应有合格的中心标记。

检查数量:全数检查。

检验方法:检查测量资料。

Ⅱ 一般项目

12.10.2 机侧除尘装置安装的允许偏差和检验方法应符合表

12.10.2 的规定。

　　检查数量:抽查 10%。

　　检验方法:应符合表 12.10.2 的规定。

表 12.10.2　机侧除尘装置安装的允许偏差和检验方法

项次	项　目	允许偏差(mm)	检验方法
1	标高	±5.0	水准仪测量
2	纵横中心距离	±5.0	钢尺量

13 拦焦机

13.1 一般规定

13.1.1 焊接质量应符合设计,并应符合现行国家标准《现场设备、工业管道焊接工程施工质量验收规范》GB 50683 的有关规定。

13.1.2 液压、滑润和气动设备安装应符合现行国家标准《冶金机械液压、滑润和气动设备工程安装验收规范》GB 50387 的有关规定。

13.2 走行装置

Ⅰ 主控项目

13.2.1 安装基准段的走行轨道上,应有符合规定的安装基准线和标高基准点。

检查数量:全数检查。

检验方法:检查测量资料。

Ⅱ 一般项目

13.2.2 两侧走行平衡台车调整后,应采取措施临时固定。

检查数量:全数检查。

检验方法:观察检查。

13.2.3 走行装置安装的允许偏差和检验方法应符合表13.2.3的规定。

检查数量:全数检查。

检验方法:应符合表13.2.3的规定。

表13.2.3 走行装置安装的允许偏差和检验方法

项次	项目	允许偏差(mm)	检验方法
1	走行轮轮距	±2.0	钢尺量
2	走行轮跨距	±3.0	
3	对角线之差	3.0	

续表 13.2.3

项次	项目	允许偏差(mm)	检验方法
4	两侧车轮在水平方向的偏差	L/1000	拉钢丝,钢尺量
5	同侧车轮的同位差	2.0	拉钢丝,钢尺量
6	车轮端面垂直度	D/500	水平仪测量
7	各车轮标高差	2.0	水准仪测量

注:L 为两测点距离;D 为车轮直径,车轮端面上轮缘应向轨道外倾斜。

13.3 机体钢构架

一 般 项 目

13.3.1 接合部位的连接螺栓应紧固,并应有防松焊接。

检查数量:全数检查。

检验方法:观察检查。

13.3.2 机体钢构架安装后,应对走行装置安装精度进行复测,其允许误差应符合本规范表 13.2.3 的规定。

检查数量:抽查 10%,且不少于 5 处。

检验方法:应符合表 13.2.3。

13.3.3 机体钢构架安装的允许偏差和检验方法应符合表 13.3.3、图 13.3.3 的规定。

检查数量:全数检查。

检验方法:应符合表 13.3.3 的规定。

表 13.3.3 机体钢构架安装的允许偏差和检验方法

项次	项目	允许偏差(mm)	检测部位	检验方法
1	鞍座标高	±15.0	H	水准仪测量
2	上框梁标高	±15.0	H_1	
3	上框梁导焦中心与鞍座导焦中心	±3.0	—	拉钢丝,钢尺量
4	上框梁与炉侧走行轨道中心的距离	±3.0	—	

续表 13.3.3

项次	项　目	允许偏差(mm)	检测部位	检验方法
5	主立柱垂直度	2.0/1000～3.0/1000 (宜向炉侧倾斜)	—	吊线锤，钢尺量
6	各层走台立柱垂直度	1.0/1000	—	

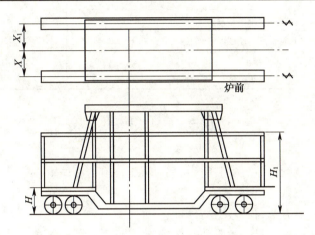

图 13.3.3　拦焦机机体钢构架安装检测图

13.4　导　焦　栅

Ⅰ　主控项目

13.4.1　导焦栅安装前,在平台梁上应有合格的中心标记。

检查数量:全数检查。

检验方法:检查测量资料。

Ⅱ　一般项目

13.4.2　导焦栅及轨道安装的允许偏差和检验方法应符合表13.4.2的规定。

检查数量:全数检查。

检验方法:应符合表13.4.2的规定。

表13.4.2 导焦栅及轨道安装的允许偏差和检验方法

项次	项目		允许偏差(mm)	检验方法
1	上部、下部轨道	标高	±5.0	水准仪测量
		相对差	2.0	
2	导焦栅标高		+5.0 0	
3	导焦栅端面垂直度		1.0/1000	吊线锤,钢尺量
4	导焦栅前后两端面内壁间距		±10.0	钢尺量
5	导焦栅与出焦位距离 (热态调整)		+5.0 0	

13.5 摘门装置

Ⅰ 主控项目

13.5.1 摘门装置安装前,在平台梁上应有合格的中心标记。

检查数量:全数检查。

检验方法:检查测量资料。

13.5.2 摘门机支承辊和导向辊未运行时应落入轨道,并应无卡阻现象。

检查数量:全数检查。

检验方法:观察检查。

Ⅱ 一般项目

13.5.3 摘取门装置的安装允许偏差检查时,摘取门装置应处于工作位置。

检查数量:全数检查。

检验方法:观察检查。

13.5.4 摘门装置安装的允许偏差和检验方法应符合表13.5.4的规定。

检查数量:全数检查。

检验方法:应符合表13.5.4的规定。

表 13.5.4 摘门装置安装的允许偏差和检验方法

项次	项 目		允许偏差(mm)	检验方法
1	轨道	标高	±5.0,同一截面高差≤1.0	水准仪测量
2		轨道中心与拦焦中心的距离	±2.0	钢尺量
3	摘门机头	挂钩标高	±5.0	水准仪测量
4		上下挂钩间的距离	±5.0	钢尺量
5		摘门位置门钩中心与拦焦中心的距离	±2.0	吊线锤,钢尺量
6		托架上下回转轴同心度	2.0	
7		摘门位置处摘门机头垂直度	2.0	
8		摘门位置处挂钩中心与走行轨道中心距离	±1.0(热态时调整)	

13.6 炉门框清扫装置

Ⅰ 主控项目

13.6.1 炉门框清扫装置安装前,在平台梁上应有合格的中心标记。

检查数量:全数检查。

检验方法:检查测量资料。

13.6.2 清扫机支承辊和导向辊未运行时应落入轨道,并应无卡阻现象。

检查数量:全数检查。

检验方法:观察检查。

Ⅱ 一般项目

13.6.3 炉门框清扫装置安装的允许偏差应符合表 13.6.3 的规定。

检查数量:全数检查。

检验方法:应符合表 13.6.3 的规定。

表13.6.3 炉门框清扫装置安装的允许偏差和检验方法

项次	项目		允许偏差(mm)	检验方法
1	轨道	标高	±5.0	水准仪测量
		同一截面高差	1.0	
2		轨道中心与拦焦中心的距离	±2.0	拉钢丝, 钢尺量
3	清扫机头	清扫头(清扫位置)中心与导焦中心间距离	±2.0	
4		托架上下回转同心度	2.0	吊线锤, 钢尺量
5		清扫位置,清扫头垂直度	2.0	
6		清扫(清扫位置)中心与走行轨道中心的距离	±1.0(热态时调整)	钢尺量

13.7 炉门清扫装置

Ⅰ 主控项目

13.7.1 炉门清扫装置安装前,在平台梁上应有确认合格的中心标记。

检查数量:全数检查。

检验方法:检查测量资料。

Ⅱ 一般项目

13.7.2 炉门清扫装置安装的允许偏差和检验方法应符合表13.7.2的规定。

检查数量:抽查10%。

检验方法:应符合表13.7.2的规定。

表13.7.2 炉门清扫装置安装的允许偏差和检验方法

项次	项目		允许偏差(mm)	检验方法
1	轨道	标高	±5.0	水准仪测量
		同一截面标高相对差	1.0	
2		与走行轨中心的距离	±5.0	拉钢丝, 钢尺量
3		与清扫机中心的距离	+1.0 0	

续表 13.7.2

项次	项目		允许偏差(mm)	检验方法
4		下部清扫小车轨道标高	+5.0 0	水准仪测量
5	清扫机头	底部标高	±5.0	
6		清扫机头(清扫位置)的左右垂直度	6.0	吊线锤, 钢尺量
7		清扫机头(清扫位置)的前后垂直度	8.0	
8		侧面两铣刀的距离	+3.0 0	钢尺量

13.8 拦焦除尘装置

Ⅰ 主控项目

13.8.1 不锈钢板的连接螺栓扭矩应符合设计文件要求,不得过拧。

检查数量:抽查10%,且不少于5套。

检验方法:检查记录。

Ⅱ 一般项目

13.8.2 除尘装置安装的允许偏差和检验方法应符合表13.8.2的规定。

检查数量:全数检查。

检验方法:应符合表13.8.2的规定。

表 13.8.2 除尘装置安装的允许偏差和检验方法

项次	项目		允许偏差(mm)	检验方法
1	挡板开闭连杆	标高	±10.0	水准仪测量
2		连杆中心与导焦中心的距离	±5.0	拉钢丝,钢尺量
3		全伸出时与走行轨道中心的距离	±5.0	吊线锤,钢尺量

续表 13.8.2

项次	项目		允许偏差(mm)	检验方法
4	除尘连接器	接口中心标高	±10.0	水准仪测量
5		接口中心与导焦中心的距离	±5.0	拉钢丝,钢尺量
6		全伸出时与走行轨道中心的距离	±10.0	吊线锤,钢尺量
7		全伸出时,接口端面垂直度	±5.0	吊线锤,钢尺量
8		集尘罩下罩口标高	+8.0 0	水准仪测量

14 顶装煤装煤车

14.1 一般规定

14.1.1 焊接质量应符合设计要求,当无设计文件要求时,应符合现行国家标准《现场设备、工业管道焊接工程施工质量验收规范》GB 50683 的有关规定。

14.1.2 液压、滑润和气动设备安装应符合现行国家标准《冶金机械液压、滑润和气动设备工程安装验收规范》GB 50387 的有关规定。

14.2 走行装置

Ⅰ 主控项目

14.2.1 安装基准段的走行轨道上,应设置符合规定的安装基准线和标高基准点。

检查数量:全数检查。

检验方法:检查测量资料。

Ⅱ 一般项目

14.2.2 两侧走行平衡台车调整后,应采取措施临时固定。

检查数量:全数检查。

检验方法:观察检查。

14.2.3 走行装置安装的允许偏差和检验方法应符合表 14.2.3 的规定。

检查数量:全数检查。

检验方法:应符合表 14.2.3 的规定。

表14.2.3 走行装置安装的允许偏差和检验方法

项次	项目	允许偏差(mm)	检验方法
1	走行车轮前后车轮组距	±2.0	钢尺量
2	走行车轮大梁跨距	±2.0	钢尺量
3	走行大梁对角线之差	3.0	钢尺量
4	两侧车轮在水平方向的偏差	$L/1000$	拉钢丝,钢尺量
5	同侧车轮的同位差	2.0	拉钢丝,钢尺量
6	车轮端面垂直度	$D/500$	吊线锤,钢尺量
7	各车轮安装标高差	2.0	水准仪测量

注:L为两测点距离;D为车轮直径,车轮端面上轮缘应向轨道外倾斜。

14.3 机体钢构架

一 般 项 目

14.3.1 机体钢构架安装后,应对走行装置安装精度进行复测,其允许误差应符合表14.2.3的规定。

检查数量:抽查10%,且不少于5处。

检验方法:应符合表14.2.3。

14.3.2 连接螺栓应紧固,并应有防松焊接。

检查数量:抽查10%,且不少于5套。

检验方法:观察检查。

14.3.3 机体钢构架安装的允许偏差和检验方法应符合表14.3.3的规定。

检查数量:全数检查。

检验方法:应符合表14.3.3的规定。

表14.3.3 机体钢构架安装的允许偏差和检验方法

项次	项目		允许偏差(mm)	检验方法
1	主梁矩形框架对边之差		3.0	钢尺量
2	主梁矩形框架对角线之差		4.0	钢尺量
3	平台梁	标高	±15.0	水准仪测量
		相对差	10.0	水准仪测量

14.4 煤　　斗

Ⅰ 主 控 项 目

14.4.1 煤斗装置安装前,在平台梁上应有合格的中心标记。

检查数量:全数检查。

检验方法:检查测量资料。

Ⅱ 一 般 项 目

14.4.2 煤斗安装的允许偏差和检验方法应符合表 14.4.2 的规定。

检查数量:全数检查。

检验方法:应符合表 14.4.2 的规定。

表 14.4.2　煤斗安装的允许偏差和检验方法

项次	项　　目	允许偏差(mm)	检验方法
1	煤斗顶面标高	±25.0	水准仪测量
2	煤斗中心与安装基准线的距离	±15.0	钢尺量
3	煤斗垂直度	$L/500$	吊线锤,钢尺量

注:L 为两测点间距离。

14.5 下 料 装 置

Ⅰ 主 控 项 目

14.5.1 安装前,平台上应有合格的中心标记。

检查数量:全数检查。

检验方法:检查测量资料。

Ⅱ 一 般 项 目

14.5.2 给料闸板开闭应灵活。

检查数量:全数检查。

检验方法:手动检查。

14.5.3 内、外导套间应无碰撞,调节吊杆应留有调节余量。

检查数量:全数检查。

检验方法:观察检查。

14.5.4 下料装置安装的允许偏差和检验方法应符合表 14.5.4

的规定。

检查数量:全数检查。

检验方法:应符合表14.5.4的规定。

表14.5.4 下料装置安装的允许偏差和检验方法

项次	项 目	允许偏差(mm)	检验方法
1	各下料口的纵、横中心与相应的装煤口中心工作位置偏差	±10.0	钢尺量
2	下料口的上限位置	±10.0	水准仪测量
3	下料口的下限位置	+30.0 0	

14.6 揭盖装置

Ⅰ 主控项目

14.6.1 装置安装前,平台上应有合格的中心标记。

检查数量:全数检查。

检验方法:检查测量资料。

14.6.2 承载电磁吸盘的台车在曲线导轨的全行程内应无卡阻现象。

检查数量:全数检查。

检验方法:观察检查。

Ⅱ 一般项目

14.6.3 揭盖装置安装的允许偏差和检验方法应符合表14.6.3的规定。

检查数量:全数检查。

检验方法:应符合表14.6.3的规定。

表14.6.3 揭盖装置安装的允许偏差和检验方法

项次	项 目	允许偏差(mm)	检验方法
1	各电磁铁在工作位置上的中心与相应的装煤口中心偏差	±20.0	钢尺量
2	电磁铁的上限位置	±10.0	水准仪测量
3	电磁铁的下限位置	+20.0 0	

14.7 氨水转换及上升管操作装置

Ⅰ 主控项目

14.7.1 轴及连杆动作应无卡阻。

检查数量:全数检查。

检验方法:观察检查。

Ⅱ 一般项目

14.7.2 氨水转换及上升管操作装置安装的允许偏差和检验方法应符合表14.7.2的规定。

检查数量:全数检查。

检验方法:应符合表14.7.2的规定。

表14.7.2 氨水转换及上升管操作装置安装的允许偏差和检验方法

项次	项 目		允许偏差(mm)	检验方法
1	标高	上升管操作装置	±5.0	水准仪测量
2		氨水转换装置	±5.0	
3	氨水转换装置连杆中心至下料口中心的距离		±5.0	钢尺量
4	上升管操作装置连杆中心至下料口中心的距离		±5.0	
5	氨水转换装置轴中心至走行轨道中心的距离		±5.0	
6	上升管操作装置轴中心至走行轨道中心的距离		±5.0	

14.8 装煤除尘装置

一般项目

装煤除尘装置安装的允许偏差和检验方法应符合表14.8的规定。

检查数量:全数检查。

检验方法:应符合表14.8的规定。

表14.8 装煤除尘装置安装的允许偏差和检验方法

项次	项 目	允许偏差(mm)	检验方法
1	集尘连接器中心至煤斗中心的距离	±5.0	钢尺量
2	集尘连接器中心与固定集尘管中心的距离	±5.0	
3	活动接管全伸出时至走行轨道中心的距离	±5.0	
4	开闭盖机构全伸出时至走行轨道中心的距离	±5.0	
5	活动接管的标高	±10.0	水准仪测量
6	开闭盖机构的标高	±10.0	

15 捣 固 机

15.1 一 般 规 定

15.1.1 捣固机安装质量验收应适用于焦炉捣固机的机体钢构架、安全挡装置、导向辊装置、提锤传动装置、停锤装置和捣固锤。

15.1.2 捣固机安装前应对走行轨道进行检查验收。

15.2 机体钢构架、安全挡装置、导向板装置

一 般 项 目

15.2.1 机体钢构架安装的允许偏和检验方法应符合表15.2.1的规定。

检查数量:全数抽查。

检验方法:应符合表15.2.1的规定。

表15.2.1 机体钢构架安装的允许偏差和检验方法

项次	项 目		允许偏差(mm)	检验方法
1	平台梁	标高	±2.0	水准仪测量
		相对差	2.0	
2	机架垂直度		2.0	吊线锤,钢尺量

15.2.2 安全挡装置安全挡闭合时挡杆横向中心的允许偏差为±2.0mm。

15.2.3 组装用连接螺栓应紧固。

检查数量:全数检查。

检验方法:观察检查。

15.2.4 安全挡摆动灵活应无卡阻。

检查数量:全数检查。

检验方法:手动检查。

15.2.5 导向装置安装的允许偏差和检验方法应符合表15.2.5的规定。

检查数量:全数检查。

检验方法:应符合表15.2.5的规定。

表15.2.5 导向板装置安装的允许偏差和检验方法

项次	项　目	允许偏差(mm)	检验方法
1	横向导向板的间距	±1.0	钢尺量
2	纵向导向板的间距	±1.0	钢尺量
3	同侧导向板的平面度	1.0	吊线锤、钢尺量

15.3 提锤传动装置、停锤装置、捣固锤装置

一 般 项 目

15.3.1 提锤传动装置安装的允许偏差和检验方法应符合表15.3.1、图15.3.1的规定。

检查数量:全数检查。

检验方法:应符合表15.3.1的规定。

表15.3.1 提锤传动装置安装的允许偏差和检验方法

项次	项　目	允许偏差(mm)	检测部位	检验方法
1	轴承座中心至机架中心的距离	±0.5	X	钢尺量
2	同一轴上相邻凸轮中心间距	±0.5	Y,Z	钢尺量
3	成对凸轮最小间距	0.5	W	专用塞块

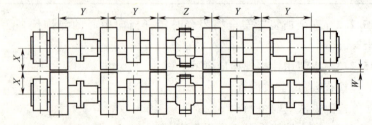

图15.3.1 提锤传动装置安装检测图

15.3.2 停锤装置安装的允许偏差和检验方法应符合表15.3.2、图15.3.2的规定。

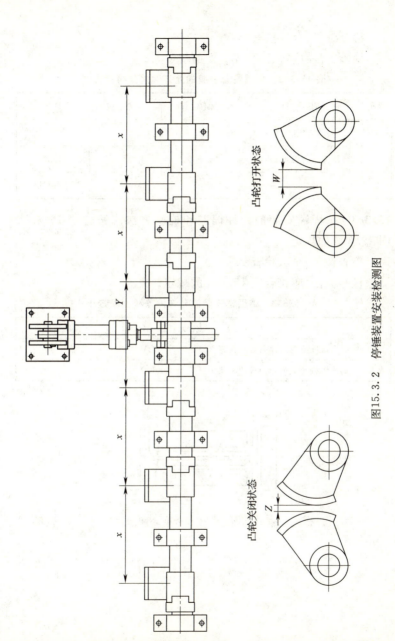

图15.3.2 停锤装置安装检测图

检查数量：全数检查。

检验方法：应符合表 15.3.2 的规定。

表 15.3.2 停锤装置安装的允许偏差和检验方法

项次	项　　目	允许偏差(mm)	检测部位	检验方法
1	停锤凸轮间距	±0.5	X,Y	钢尺量
2	凸轮关闭状态最小间距	±0.5	Z	钢尺量
3	凸轮打开状态最小间距	±0.5	W	专用塞块

15.3.3 捣固锤安装的允许偏差和检验方法应符合表 15.3.3、图 15.3.3 的规定。

检查数量：全数检查。

检验方法：应符合表 15.3.3 的规定。

表 15.3.3 捣固锤安装的允许偏差和检验方法

项次	项　　目	允许偏差(mm)	检验方法
1	捣固锤杆至横向导向板的距离 X	±1.0	钢尺量
2	捣固锤杆至纵向导向板的距离 Y	±1.0	钢尺量

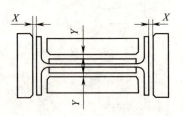

图 15.3.3 捣固锤安装检测图

16 侧装煤装煤车

16.1 一 般 规 定

16.1.1 侧装煤装煤车安装前在选定的安装基准段轨道面上应设置安装基准线和基准点,基准线正交度允许偏差为 0.1/1000。

16.1.2 侧装煤装煤车安装基准段轨道应作沉降观测,各车轮轮底高差应小于 2.0mm。

16.1.3 焊接质量应符合设计要求,当无设计文件要求时,应符合现行国家标准《现场设备、工业管道焊接工程施工质量验收规范》GB 50683 的有关规定。

16.1.4 液压、滑润和气动设备安装应符合现行国家标准《冶金机械液压、滑润和气动设备工程安装验收规范》GB 50387 的有关规定。

16.2 走 行 装 置

Ⅰ 主 控 项 目

16.2.1 安装基准段的走行轨道上,应设置符合规定的安装基准线和标高基准点。

　　检查数量:全数检查。

　　检验方法:检查测量资料。

Ⅱ 一 般 项 目

16.2.2 两侧走行平衡台车调整后,应采取临时固定措施。

　　检查数量:全数检查。

　　检验方法:观察检查。

16.2.3 走行装置安装的允许偏差和检验方法应符合表 16.2.3 的规定。

　　检查数量:全数检查。

检验方法：应符合表 16.2.3 的规定。

表 16.2.3　走行装置安装的允许偏差和检验方法

项次	项　目	允许偏差(mm)	检验方法
1	走行车轮前后车轮组距	±2.0	钢尺量
2	走行大梁跨距	±2.0	钢尺量
3	走行大梁对角线之差	3.0	钢尺量
4	两侧车轮在水平方向的偏斜	$L/1000$	拉钢丝，钢尺量
5	同侧车轮的同位差	2.0	拉钢丝，钢尺量
6	车轮端面垂直度	$D/500$	水平仪测量
7	各车轮标高差	2.0	水准仪测量

注：L 为两测点距离；D 为车轮直径，车轮端面上轮缘应向轨道外倾斜。

16.3　机体钢构架

一　般　项　目

16.3.1　机体钢构架安装后，应对走行装置安装精度进行复测，其允许误差应符合本规范表 16.2.3 的规定。

检查数量：抽查 10%，且不少于 5 处。

检验方法：应符合表 16.2.3 的规定。

16.3.2　组装用连接螺栓应紧固，并应有防松焊接。

检查数量：全数检查。

检验方法：观察检查。

16.3.3　机体钢构架安装的允许偏差和检验方法应符合表 16.3.3 的规定。

检查数量：全数检查。

检验方法：应符合表 16.3.3 的规定。

表 16.3.3　机体钢构架安装的允许偏差和检验方法

项次	项　目	允许偏差(mm)	检验方法
1	矩形框架对应边长之差	3.0	钢尺量
2	矩形框架对角线之差	4.0	钢尺量

续表16.3.3

项次	项目		允许偏差(mm)	检验方法
3	平台梁	标高	±15.0	水准仪测量
		相对标高差	10.0	
4	立柱垂直度		1/1000	吊线锤、钢尺量

16.4 装煤装置

Ⅰ 主控项目

16.4.1 装煤装置安装前,在平台梁上应有合格的中心标记。

检查数量:全数检查。

检验方法:检查测量资料。

Ⅱ 一般项目

16.4.2 装煤装置安装的允许偏差和检验方法应符合表16.4.2的规定。

检查数量:全数检查。

检验方法:应符合表16.4.2的规定。

表16.4.2 装煤装置安装的允许偏差和检验方法

项次	项目		允许偏差(mm)	检验方法
1	装煤车炉侧轨道中心线与装煤底板中心线正交度		0.1/1000	经纬仪测量
2	装煤链轮	主动链轮和从动链轮的垂直度	1/1000	吊线锤,钢尺量
3		主动链轮和从动链轮的标高差	1.0	水准仪测量
4		主动链轮和从动链轮中心线在装煤中心线全长方向上偏差	1.0	拉钢丝,吊线锤,钢尺量
5	装煤底板	装煤底板旁弯偏差	3.0	拉钢丝,钢尺量
6		装煤底板下平面标高	±3.0	水准仪测量
7		装煤底板至前极限位置时,装煤底板中心与装煤中心线偏差	10.0	钢尺量

续表 16.4.2

项次	项目		允许偏差(mm)	检验方法
8	煤壁	煤壁在全长范围内平面度偏差	6.0	拉钢丝,钢尺量
9	煤槽	煤槽中心线与装煤中心线在全长范围内偏差	2.0	拉钢丝,钢尺量
10		煤槽内部尺寸允许偏差	2.0	钢尺量

16.5 密封框装置

一般项目

16.5.1 密封框装置安装的允许偏差和检验方法应符合表16.5.1的规定。

检查数量:全数检查。

检验方法:应符合表16.5.1的规定。

表 16.5.1 密封框装置安装的允许偏差和检验方法

项次	项目	允许偏差(mm)	检验方法
1	密封框中心线与装煤中心线重合度	2.0	吊线锤、钢尺量
2	密封框体垂直度	$H/1000$	吊线锤、钢尺量

注:H 为密封框体高度。

16.6 除尘装置

Ⅰ 主控项目

16.6.1 除尘装置安装前,在平台梁上应有合格的中心标记。

检查数量:全数检查。

检验方法:检查测量资料。

Ⅱ 一般项目

16.6.2 除尘装置安装的允许偏差和检验方法应符合表16.6.2的规定。

检查数量:全数检查。

检验方法:应符合表 16.6.2 的规定。

表 16.6.2　除尘装置安装的允许偏差和检验方法

项次	项　　目	允许偏差(mm)	检验方法
1	标高	±5.0	水准仪测量
2	纵、横中心距离	±5.0	钢尺量

17 U型管导烟车

17.1 一般规定

17.1.1 U型管导烟车安装质量验收应适用于U型管导烟车的走行装置,机体钢构架,U型管装置。

17.1.2 U型管导烟车安装前应对走行轨道进行检查验收。

17.1.3 焊接质量应符合设计要求,当无设计文件要求时,应符合现行国家标准《现场设备、工业管道焊接工程施工质量验收规范》GB 50683 的有关规定。

17.1.4 液压、滑润和气动设备安装应符合现行国家标准《冶金机械液压、滑润和气动设备施工质量验收规范》GB 50387 的有关规定。

17.2 走行装置

Ⅰ 主控项目

17.2.1 安装基准段的走行轨道上,应设置符合规定的安装基准线和标高基准点。

　　检查数量:全数检查。

　　检验方法:检查测量资料。

Ⅱ 一般项目

17.2.2 两侧走行平衡台车安装在轨道上,应采取措施临时固定。

　　检查数量:全数检查。

　　检验方法:观察检查。

17.2.3 走行装置安装的允许偏差和检验方法应符合表17.2.3 的规定。

　　检查数量:全数检查。

　　检验方法:应符合表17.2.3 的规定。

表17.2.3 走行装置安装的允许偏差和检验方法

项次	项 目	允许偏差(mm)	检验方法
1	走行车轮前后车轮组距	±2.0	钢尺量
2	走行大梁跨距	±2.0	钢尺量
3	走行大梁对角线之差	3.0	钢尺量
4	两侧车轮在水平方向的偏斜	$L/1000$	拉钢丝,钢尺量
5	同侧车轮的同位差	2.0	拉钢丝,钢尺量
6	车轮端面垂直度	$D/500$	水平仪测量
7	各车轮标高差	2.0	水准仪测量

注:L 为两测点距离,D 为车轮直径,车轮端面上轮缘应向轨道外倾斜。

17.3 机体钢构架

一 般 项 目

17.3.1 组装用连接螺栓应紧固,并应有防松焊接。

检查数量:抽查10%,且不少于10套。

检验方法:观察检查。

17.3.2 机体钢构架安装后,应对走行装置安装精度进行复测,其允许误差应符合本规范表17.2.3的规定。

检查数量:抽查10%。

检验方法:应符合表17.2.3。

17.3.3 机体钢构架安装的允许偏差和检验方法应符合表17.3.3的规定。

检查数量:全数检查。

检验方法:应符合表17.3.3的规定。

表17.3.3 机体钢构架安装的允许偏差和检验方法

项次	项 目	允许偏差(mm)	检验方法
1	矩形框架对应边长之差	3.0	钢尺量
2	矩形框架对角线之差	4.0	钢尺量

续表 17.3.3

项次	项目		允许偏差(mm)	检验方法
3	平台梁	标高	±15.0	水准仪测量
		相对标高差	10.0	
4	立柱垂直度		$H/1000$	吊线锤、钢尺量

注:H 为立柱高度。

17.4 U型管装置

一 般 项 目

17.4.1 组装用连接螺栓应紧固。

检查数量:全数检查。

检验方法:观察检查。

17.4.2 U型管装置安装的允许偏差和检验方法应符合表17.4.2的规定。

检查数量:全数检查。

检验方法:应符合表17.4.2的规定。

表 17.4.2 U型管装置安装的允许偏差和检验方法

项次	项目	允许偏差(mm)	检验方法
1	U型管组间距偏差	±2.0	经纬仪、钢尺量
2	U型管中心与炉座中心线重合度偏差	±2.0	经纬仪、钢尺量

17.5 氨水转换及上升管盖开闭机构

Ⅰ 主 控 项 目

17.5.1 轴及连杆动作应无卡阻。

检查数量:全数检查。

检验方法:观察检查。

Ⅱ 一 般 项 目

17.5.2 氨水转换装置安装的允许偏差和检验方法应符合表

17.5.2 的规定。

　　检查数量:全数检查。

　　检验方法:应符合表 17.5.2 的规定。

表 17.5.2　氨水转换装置安装的允许偏差和检验方法

项次	项　　目		允许偏差(mm)	检验方法
1	标高	上升管开闭机构	±5.0	水准仪测量
2		氨水转换	±5.0	
3	氨水转换装置连杆中心至下料口中心的距离		±5.0	钢尺量
4	上升管开闭机构连杆中心至下料口中心的距离		±5.0	
5	氨水转换装置轴中心至走行轨道中心的距离		±5.0	
6	上升管开闭机构轴中心至走行轨道中心的距离		±5.0	

18 电机车、焦罐车

一 般 项 目

18.0.1 电机车车顶部标高的允许偏差为±10.0mm。

检查数量:全数检查。

检验方法:水准仪测量。

18.0.2 焦罐车横移轨道标高允许偏差为 0～1.0mm,侧支持轮标高的允许偏差为±1.0mm。

检查数量:全数检查。

检验方法:水准仪测量。

18.0.3 焦罐车方形焦罐罐内耐(热)磨衬板组装应平直,平面度允许偏差为 0～3.0mm,整体平面内平面度允许偏差为 0～10.0mm。

检查数量:全数检查。

检验方法:拉钢丝、钢尺量。

18.0.4 焦罐车卸焦门开度的允许偏差为±20.0mm,关闭间隙允许偏差为 0～10.0mm。

检查数量:全数检查。

检验方法:钢尺量。

18.0.5 焦罐闸门开闭及提升装置安装水平度的允许偏差为 1.0/1000,挂钩销轴间距允许偏差为±5.0mm。

检查数量:全数检查。

检验方法:水准仪、钢尺量。

19 干熄焦工艺钢结构及轨道

19.1 一般规定

19.1.1 高强度螺栓施工应符合设计、设备技术文件要求,并应符合现行行业标准《钢结构高强度螺栓连接技术规程》JGJ 82 的有关规定。

19.1.2 工艺钢结构应符合现行国家标准《钢结构工程施工质量验收规范》GB 50205 的有关规定。

19.1.3 焊接质量应符合设计文件要求。当设计无规定时,焊接质量应符合下列规定:

1 工厂对接焊缝应符合一级焊缝质量等级的技术要求,并应符合现行国家标准《钢结构工程施工质量验收规范》GB 50205 的有关规定;

2 框架柱、梁对接焊缝应符合二级焊缝质量等级的技术要求,并应符合现行国家标准《钢结构工程施工质量验收规范》GB 50205 的有关规定;

3 其余焊缝应符合三级焊缝质量等级的技术要求,并应符合现行国家标准《钢结构工程施工质量验收规范》GB 50205 的有关规定。

19.2 工艺钢结构

Ⅰ 主控项目

19.2.1 钢构件由于运输、堆放和吊装等造成的变形应进行矫正。

检查数量:按构件数抽查10%,且不少于3件。

检验方法:拉线、钢尺量,观察检查。

Ⅱ 一般项目

19.2.2 工艺钢结构安装的允许偏差和检验方法应符合表 19.2.2

的规定。

检查数量:全数检查。

检验方法:应符合表 19.2.2 的规定。

表 19.2.2 工艺钢结构安装的允许偏差和检验方法

项次	项目	允许偏差(mm)	检验方法
1	柱底中心线对定位轴线距离	3.0	经纬仪测量
2	柱基准点标高	+3.0 -5.0	水准仪测量
3	同一层柱的各柱顶标高相对差	5.0	水准仪测量
4	同一根梁两端顶面标高相对差	$L/1000$(L 为梁长度), 且不应大于 10.0	水准仪测量
5	立柱垂直度	$H/2000$(H 为立柱高度), 且不应大于 15.0	经纬仪测量
6	吊车梁跨距	±7.0	钢尺量
7	同一横截面吊车梁顶面标高相对差	5.0	水准仪测量
8	吊车梁跨中垂直度	$H/500$ (H 为吊车梁截面高度)	吊线锤,钢尺量
9	相邻两柱间吊车梁 顶面标高相对差	$L/1500$(L 为梁长度), 且不应大于 10.0	水准仪测量
10	吊车梁支座中心对牛腿中心距离	5	吊线锤,钢尺量

19.3 提升机轨道

一 般 项 目

19.3.1 提升机轨道垫板的规格、材质及位置应符合设计文件要求,垫板与吊车梁及轨底面应贴紧。

检查数量:抽查 10%,且不应少于 3 处。

检验方法:手锤轻击和观察检查。

19.3.2 提升机轨道安装的允许偏差和检验方法应符合表 19.3.2 的规定。

检查数量:全数检查。

检验方法:应符合表 19.3.2 的规定。

表 19.3.2 提升机轨道安装的允许偏差和检验方法

项次	项　目	允许偏差(mm)	检验方法
1	轨道中心线	2.0	经纬仪测量
2	轨道中心对吊车梁腹板轴线的距离	$t/2$(t 为梁腹板厚度)	吊线锤,钢尺量
3	轨面标高	±5.0	水准仪测量
4	跨距	±5.0	钢尺量
5	直线度	5.0	拉钢丝,钢尺量
6	轨道纵向标高相对差	5.0	水准仪测量
7	同一截面两轨道标高相对差	5.0	
8	接头处标高相对差	1.0	钢尺量
9	接头处错位	1.0	
10	接头间隙	+1.0 0	

19.4 提升井架导轨

一 般 项 目

19.4.1 提升机导轨安装的允许偏差和检验方法应符合表 19.4.1、图 19.4.1 的规定。

检查数量:全数检查。

检验方法:应符合表 19.4.1。

表 19.4.1 提升机导轨安装的允许偏差和检验方法

项次	项　目	允许偏差(mm)	检测部位	检验方法
1	导轨纵、横中心线	2.0	—	经纬仪测量
2	导轨的标高	0 −10.0	上端、下端	水准仪测量
3	导轨的垂直度	$H/5000$,且≤5.0	$x-x'$轴 $y-y'$轴	经纬仪测量
4	导轨的跨距	+7.0 0	$x-x'$轴	钢尺量

注:H 为导轨高度。

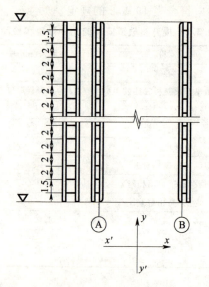

图 19.4.1 导轨安装检测图

19.5 提升机电缆导架

一 般 项 目

19.5.1 提升机电缆导架安装的允许偏差和检验方法应符合表 19.5.1 的规定。

检查数量:全数检查。

检验方法:应符合表 19.5.1 的规定。

表 19.5.1 提升机电缆导架安装的允许偏差和检验方法

项次	项　目	允许偏差(mm)	检验方法
1	中心线	5.0	经纬仪测量
2	同一截面标高相对差	5.0	水准仪测量
3	跨距	±8.0	钢尺量

20 干熄焦干熄炉及余热锅炉

20.1 一般规定

20.1.1 焊接质量应符合设计文件要求。当设计无规定时,焊缝外观质量应符合Ⅲ级的技术要求,并应符合现行国家标准《现场设备、工业管道焊接工程施工质量验收规范》GB 50683 的有关规定。

20.1.2 干熄焦余热锅炉及除氧器安装验收应符合设计文件要求,并应符合现行行业标准《电力建设施工技术规范 第 2 部分:锅炉机组》DL 5190.2 和《电力建设施工质量验收及评价规程 第 2 部分:锅炉机组》DL 5210.2 的有关规定。

20.2 干熄炉壳体

Ⅰ 一般项目

20.2.1 干熄炉壳体安装及焊接完毕后,全高允许偏差应符合设计文件要求,设计无规定时,全高允许偏差为 −35.0mm~0。

检查数量:全数检查。

检验方法:水准仪测量。

20.2.2 干熄炉壳体安装的允许偏差和检验方法应符合表 20.2.2、图 20.2.2 的规定。

检查数量:全数检查。

检验方法:应符合表 20.2.2 的规定。

表20.2.2 干熄炉壳体安装的允许偏差和检验方法

项次	项目		允许偏差（mm）	检测部位	检验方法
1	壳体各段	半径 R	+10.0 −5.0	0°、45°、90°、135°、180°、225°、270°、315°	钢尺量
2		标高	0 −10.0	—	水准仪测量
3		上口高差 F	6.0	0°、45°、90°、135°、180°、225°、270°、315°	水准仪测量
4		圆周长	+20.0 −5.0	GA、GB	钢尺量
5	出风口段	外圈半径 R'	+10.0 −5.0	0°、45°、90°、135°、180°、225°、270°、315°	钢尺量
6		内圈半径 r	+10.0 −2.0	0°、45°、90°、135°、180°、225°、270°、315°	钢尺量
7		上口高差 F'	8.0	0°、45°、90°、135°、180°、225°、270°、315°	水准仪测量
8		出口法兰垂直度 $\delta=\delta_1-\delta_2$	6.0	A、B、C	经纬仪测量
9		出口法兰边缘至中心距离 L	+10.0 −5.0	A、C	钢尺量
10		圆周长 G	+20.0 −5.0	—	钢尺量
11	耐火砖托板	标高	±5.0	—	水准仪测量
		上平面标高相对差	7.0	—	
12		纵、横中心距离	±5.0		吊线锤，钢尺量

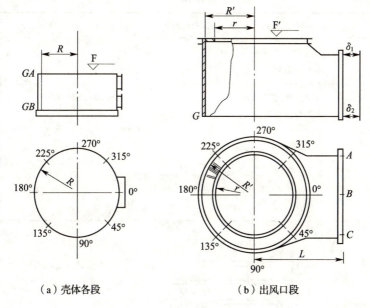

(a)壳体各段　　　　（b）出风口段

图 20.2.2　壳体安装检测图

20.3　供 气 装 置

一 般 项 目

20.3.1　供气装置安装的允许偏差和检验方法应符合表 20.3.1、图 20.3.1 的规定。

检查数量：全数检查。

检验方法：应符合表 20.3.1 的规定。

表 20.3.1　供气装置安装的允许偏差和检验方法

项次	项　　目	允许偏差(mm)	检测部位	检验方法
1	纵、横中心线	5.0	—	经纬仪测量
2	标高	±5.0	—	水准仪测量
3	下锥斗出口法兰纵、横中心线	5.0	—	吊线锤,钢尺量

续表 20.3.1

项次	项目	允许偏差(mm)	检测部位	检验方法
4	下锥斗出口法兰面水平标高相对差 F_1	5.0	a'、b'、c'、d'	水准仪测量
5	下锥斗底座支承面水平标高相对差 F_2	5.0	a、b、c、d、e、f、g、h	
6	上、下锥斗插口间隙 C_1	+11.0 -6.0	圆周方向每15°检测一个点	钢尺量
7	上锥斗上口与耐火砖托板间隙 C_2	+6.0 -1.0	圆周方向每15°检测一个点	

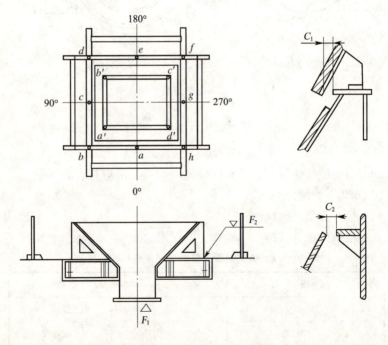

图 20.3.1 供气装置检测图

21 干熄焦装入、排出系统

21.1 一般规定

21.1.1 高强度螺栓施工应符合设计、设备技术文件要求,并应符合现行行业标准《钢结构高强度螺栓连接技术规程》JGJ 82 的有关规定。

21.1.2 联轴器装配应符合设计文件要求,并应符合现行国家标准《机械设备安装工程施工及验收通用规范》GB 50231 的有关规定。

21.2 对位装置

一般项目

21.2.1 对位装置安装的允许偏差和检验方法应符合表 21.2.1 的规定。

　　检查数量:全数检查。

　　检验方法:应符合表 21.2.1 的规定。

表 21.2.1 对位装置安装的允许偏差和检验方法

项次	项目		允许偏差(mm)	检验方法
1	对位装置	纵、横中心线	3.0	拉钢丝,钢尺量
2		标高	±1.0	水准仪测量

21.3 齿条式横移牵引装置

一般项目

21.3.1 齿轮、齿条装配应符合设计文件,并应符合现行国家标准《机械设备安装工程施工及验收通用规范》GB 50231 的有关规定。

检查数量:全数检查。

检验方法:压铅法检查,着色法检查。

21.3.2 齿条式横移牵引装置的允许偏差和检验方法应符合表21.3.2、图21.3.2的规定。

检查数量:全数检查。

检验方法:应符合表21.3.2的规定。

表21.3.2 齿条式横移牵引装置的允许偏差和检验方法

项次	项目		允许偏差(mm)	检测部位	检验方法
1	传动机构与提升轴线间距		±1.0	A_1	钢尺量
2	托辊间距		±2.0	B_1、C_1、D	
3	提吊架与传动机构间距		±3.0	E	
4	托辊标高		±1.0	F_1、F_2、F_3	水准仪测量
5	牵引小车轨道标高		±1.0	G_1、G_2、G_3、G_4、G_5	
6	提吊转杆头标高		±1.0	H	
7	牵引小车轨道	水平度	1.0	—	水准仪测量
8		同一截面高差	3.0		
9		跨距	±3.0		钢尺量
10	缓冲器间距		±5.0		钢尺量
11	缓冲器水平高差		±1.0		水准仪测量
12	齿条中心线		1.0	A_2、B_2、C_2	经纬仪测量
13	挂钩装置与齿条中心线距离		±1.0	D_1、D_2	钢尺量
14	缓冲器与提升轴线距离		±1.0	E_1、E_2	钢尺量
15	焦罐台车轨道	水平度	3.0		水准仪测量
16		同一截面高差	3.0		
17		跨距	±3.0		钢尺量

续表 21.3.2

项次	项目		允许偏差(mm)	检测部位	检验方法
18	电液缸	纵、横中心线	1.0	—	拉钢丝，钢尺量
19		标高	±3.0	—	水准仪测量

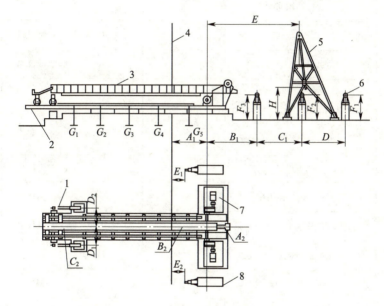

图 21.3.2 齿条式横移牵引装置安装检测图
1—牵引小车；2—挂钩走行导轨；3—齿条；4—提升轴线；
5—提吊架；6—托辊；7—传动机构；8—缓冲器

21.4 钢丝绳式横移牵引装置

一 般 项 目

21.4.1 钢丝绳式横移牵引装置安装的允许偏差和检验方法应符合表 21.4.1、图 21.4.1 的规定。

检查数量：全数检查。

检验方法:应符合表 21.4.1 的规定。

表 21.4.1 钢丝绳式横移牵引装置安装的允许偏差和检验方法

项次	项目		允许偏差(mm)	检测部位	检验方法
1	传动机构与提升轴线间距		±1.0	A	钢尺量
2	托辊间距		±2.0	B、C、D、E、F	钢尺量
3	牵引小车轨道标高		±1.0	G	水准仪测量
4	牵引小车轨道	水平度	1.0	—	水准仪测量
5		同一截面标高相对差	3.0	—	水准仪测量
6		跨距	±3.0	—	钢尺量
7	缓冲器间距		±5.0	—	钢尺量
8	缓冲器水平标高相对差		±1.0	—	水准仪测量
9	缓冲器与提升轴线距离		±1.0	H、I	钢尺量
10	台车侧轨与中心线距离		+10	J	钢尺量
11	焦罐台车轨道	水平度	3.0	—	水准仪测量
12		同一截面标高相对差	3.0	—	水准仪测量
13		跨距	±3.0	—	钢尺量
14	电液缸	纵、横中心线	1.0	—	拉钢丝,钢尺量
15		标高	±3.0	—	水准仪测量

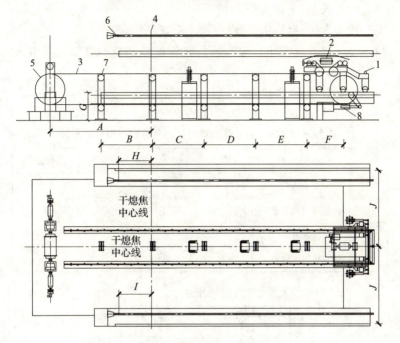

图 21.4.1　钢丝绳式横移牵引装置安装检测图
1—牵引小车；2—挂钩走行导轨；3—钢丝绳；4—提升轴线；
5—传动机构；6—缓冲器；7—托辊；8—电液缸

21.5　提　升　机

Ⅰ　主控项目

21.5.1　提升机主梁上拱度的允许偏差应符合设计文件要求。

检查数量：全数检查。

检验方法：水准仪测量。

Ⅱ　一般项目

21.5.2　齿轮、齿条装配应符合设计文件要求，并应符合现行国家标准《机械设备安装工程施工及验收通用规范》GB 50231 的有关规定。

检查数量：全数检查。

检验方法：压铅法检查，着色法检查。

21.5.3 提升机车体构架组装的允许偏差和检验方法应符合表21.5.3、图21.5.3的规定。

检查数量：全数检查。

检验方法：应符合表21.5.3的规定。

表 21.5.3 提升机车体构架组装的允许偏差和检验方法

项次	项　　目	允许偏差(mm)	检测部位	检验方法
1	车架边长	±2.0	a_1、a_2、b_1、b_2	钢尺量
2	车架对角线差	3.0	c_1、c_2	
3	车轮跨距	±4.0	d_1、d_2	
4	车轮对角线差	3.0	e_1、e_2	

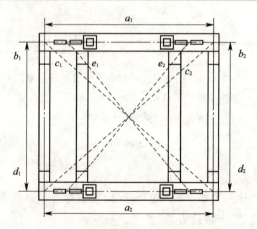

图 21.5.3 提升机车体构架组装检测图

21.5.4 车轮安装的允许偏差和检验方法应符合表21.5.4、图21.5.4的规定。

检查数量：全数检查。

检验方法：应符合表21.5.4的规定。

表 21.5.4 车轮安装的允许偏差和检验方法

项次	项 目	允许偏差(mm)	检测部位	检验方法
1	车轮水平偏斜	2.0	$a_1 \sim a_{16}$	拉钢丝,钢尺量
2	同一端车轮同位差	2.0	$b_1 \sim b_8$	拉钢丝,钢尺量
3	车轮垂直度	$D/800$	—	水平仪测量

注:D 为车轮直径。

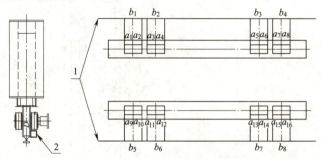

图 21.5.4 提升机车轮安装检测图
1—钢丝;2—水平仪

21.6 装入、排出装置

一 般 项 目

21.6.1 装入装置安装的允许偏差和检验方法应符合表 21.6.1、表 21.6.1 的规定。

检查数量:全数检查。

检验方法:应符合表 21.6.1 的规定。

表 21.6.1 装入装置安装的允许偏差和检验方法

项次	项 目		允许偏差(mm)	检验方法
1	装入装置底座轨道	纵、横中心线	3.0	拉钢丝,钢尺量
2		纵向标高相对差	3.0	水准仪测量
3		同一截面标高相对差	5.0	水准仪测量
4	熄焦槽入口水封圈	纵、横中心线	3.0	拉钢丝,钢尺量
5		标高	±5.0	水准仪测量
6		上口标高相对差	2.0	

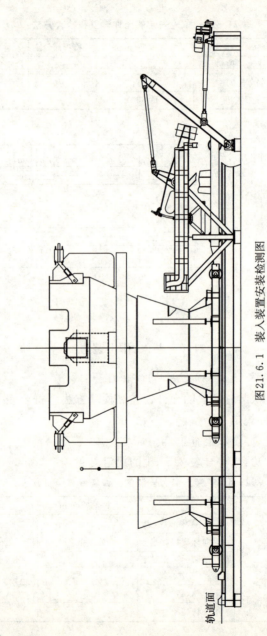

图 21.6.1 装入装置安装检测图

21.6.2 排出装置安装的允许偏差和检验方法应符合表21.6.2、图21.6.2的规定。

检查数量：全数检查。

检验方法：应符合表21.6.2的规定。

表21.6.2 排出装置安装的允许偏差和检验方法

项次	项目		允许偏差（mm）	检测部位	检验方法
1	振动给料机	振动筛倾角	±1°	θ	水准仪测量
2		开口标高	+20.0 0	H	钢尺量
3		左、右弹簧标高相对差	3.0	$A、B$	钢尺量
4	旋转密封阀法兰面标高相对差		3.0	—	水准仪测量
5	台车轨道	中心线	3.0	—	经纬仪测量
6		标高	±3.0	—	水准仪测量
7		跨距	±3.0	—	钢尺量
8		直线度	5.0	—	拉钢丝,钢尺量
9		纵向标高相对差	3.0	—	水准仪测量
10		同一截面标高相对差	3.0	—	水准仪测量

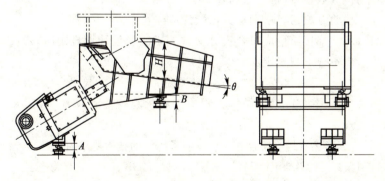

图21.6.2 排出装置安装检测图

22 干熄焦气体循环系统

22.1 一般规定

22.1.1 干熄焦气体循环系统安装质量验收应适用于干熄焦气体循环系统的一次除尘器、二次除尘器、循环风机、给水预热器。

22.1.2 干熄焦循环风机安装验收应符合设计文件要求,并应符合现行国家标准《风机、压缩机、泵安装工程施工及验收规范》GB 50275的有关规定。

22.1.3 高强度螺栓施工应符合设计、设备技术文件要求,并应符合现行行业标准《钢结构高强度螺栓连接技术规程》JGJ 82的有关规定。

22.2 一次除尘器

Ⅰ 主控项目

22.2.1 钢构件由于运输、堆放和吊装等造成的变形应进行矫正。

检查数量:按构件数抽查10%,且不少于3件。

检验方法:拉线、钢尺量,观察检查。

22.2.2 焊接质量应符合设计文件要求。当设计无规定时,焊接质量应符合下列规定:

1 工厂对接焊缝应符合二级焊缝质量等级的技术要求,并应符合现行国家标准《钢结构工程施工质量验收规范》GB 50205的有关规定;

2 其余焊缝应符合三级焊缝质量等级的技术要求,并应符合现行国家标准《钢结构工程施工质量验收规范》GB 50205的有关规定。

检查数量:全数检查。

检验方法:检查焊缝检测记录。

Ⅱ 一 般 项 目

22.2.3 一次除尘器安装的允许偏差和检验方法应符合表22.2.3的规定。

检查数量:全数检查。

检验方法:应符合表22.2.3的规定。

表 22.2.3 一次除尘器安装的允许偏差和检验方法

项次	项 目		允许偏差(mm)	检验方法
1	一次除尘器框架	柱脚中心线	5.0	经纬仪测量
2		柱垂直度	$H/1000$	经纬仪测量
3		横梁标高	+5.0 -10.0	水准仪测量

注:H为柱高度。

22.3 二次除尘器

Ⅰ 主 控 项 目

22.3.1 钢构件由于运输、堆放和吊装等造成的变形应进行矫正。

检查数量:按构件数抽查10%,且不少于3件。

检验方法:拉线、钢尺量,观察检查。

22.3.2 焊接质量应符合设计文件要求。当设计无规定时,焊接质量应符合下列规定:

1 工厂对接焊缝应符合二级焊缝质量等级的技术要求,并应符合现行国家标准《钢结构工程施工质量验收规范》GB 50205的规定;

2 其余焊缝应符合三级焊缝质量等级的技术要求,并应符合现行国家标准《钢结构工程施工质量验收规范》GB 50205的规定。

检查数量:全数检查。

检验方法:检查焊缝检测记录。

Ⅱ 一 般 项 目

22.3.3 二次除尘器安装的允许偏差和检验方法应符合表22.3.3的规定。

检查数量:全数检查。

检验方法:应符合表22.3.3的规定。

表22.3.3 二次除尘器安装的允许偏差和检验方法

项次	项 目		允许偏差(mm)	检验方法
1	二次除尘器框架	柱中心线	5.0	经纬仪测量
2		柱垂直度	$H/1000$	经纬仪测量
3		横梁标高	+5.0 −10.0	水准仪测量
4	除尘器纵、横中心线		20.0	经纬仪测量
5	除尘器垂直度		10.0	吊线锤,钢尺量

注:H为柱高度。

22.4 给水预热器

Ⅰ 主控项目

22.4.1 给水预热器安装完后,应按设计文件的要求进行水压试验,当设计无规定时,试验压力应为工作的1.5倍压力,在试验压力下稳压30min后降至工作压力进行全面检查,检查无压力降,无漏水,无变形为合格。

检查数量:全数检查。

检验方法:观察检查,检查试验记录。

Ⅱ 一般项目

22.4.2 给水预热器安装的允许偏差和检验方法应符合表22.4.2规定。

检查数量:全数检查。

检验方法:应符合表22.4.2的规定。

表22.4.2 给水预热器安装的允许偏差和检验方法

项次	项 目		允许偏差(mm)	检验方法
1	给水预热器框架	柱脚中心线	5.0	经纬仪测量
2		柱垂直度	$H/1000$	经纬仪测量
3		横梁标高	±5.0	水准仪测量

续表 22.4.2

项次	项目	允许偏差(mm)	检验方法
4	纵、横中心线	5.0	经纬仪测量
5	标高	±3.0	水准仪测量
6	伸缩节长度	±3.0	钢尺量

注:H 为柱高度。

23 干熄焦辅助设备

23.1 一般规定

23.1.1 电梯安装质量验收应符合设计文件,并应符合现行国家标准《电梯工程施工质量验收规范》GB 50310 的有关规定。

23.1.2 检修吊车安装质量验收应符合设计文件要求,并应符合现行国家标准《起重设备安装工程施工及验收规范》GB 50278 的有关规定。

23.2 电 梯 筒

一 般 项 目

23.2.1 焊接质量应符合设计文件的要求。当设计无规定时,焊缝外观质量应符合Ⅲ级的技术要求,并应符合现行国家标准《现场设备、工业管道焊接工程施工质量验收规范》GB 50683 的有关规定。

检查数量:按焊缝长度抽查 5%。

检验方法:检查焊缝检测记录。

23.2.2 电梯筒安装的允许偏差和检验方法应符合表 23.2.2 规定。

检查数量:全数检查。

检验方法:应符合表 23.2.2 的规定。

表 23.2.2 电梯筒安装的允许偏差和检验方法

项次	项 目	允许偏差(mm)	检验方法
1	纵、横中心线	5.0	经纬仪测量
2	筒体每层标高	±5.0	水准仪测量
3	筒体垂直度	0.5H/1000,且≤20.0	经纬仪测量

注:H 为筒体高度。

23.3 除盐水槽

Ⅰ 主控项目

23.3.1 除盐水槽安装完后,应按设计文件要求进行充水试验,当设计无规定时,应充水到设计最高液位并保持48h,无渗漏、无异常变形为合格。

检查数量:全数检查。

检验方法:观察检查,检查试验记录。

Ⅱ 一般项目

23.3.2 焊接质量应符合设计文件的要求。设计无规定时,焊缝外观质量应符合Ⅲ级的技术要求,并应符合现行国家标准《现场设备、工业管道焊接工程施工质量验收规范》GB 50683 的有关规定。

检查数量:按焊缝长度抽查5%。

检验方法:检查焊缝检测记录。

23.3.3 槽底板焊缝应采用真空箱法进行严密性试验,试验负压值为53kPa,无渗漏为合格。

检查数量:全数检查。

检验方法:观察检查,检查试验记录。

23.3.4 除盐水槽安装的允许偏差和检验方法应符合表23.3.4的规定。

检查数量:全数检查。

检验方法:应符合表23.3.4的规定。

表23.3.4 除盐水槽安装的允许偏差和检验方法

项次	项 目	允许偏差(mm)	检验方法
1	槽体高度	$5H/1000$	钢尺量
2	槽壁垂直度	$4H/1000$,且$\leqslant 50$	吊线锤、钢尺量
3	底圈壁板内表面半径	±13.0	钢尺量
4	槽壁的局部凹凸变形	10.0(焊缝处15.0)	以弦长1.5m内外样板检查
5	底板的局部凹凸变形	50.0	样板检查
6	固定顶局部凹凸变形	15.0	样板检查

注:H为槽壁设计高度。

24 煤气净化及化产品回收换热器

24.1 管壳式换热器

Ⅰ 主控项目

24.1.1 管壳式换热器管道强度试验、壳体严密性试验应符合设计文件要求。

检查数量:全数检查。

检验方法:检查试验记录。

Ⅱ 一般项目

24.1.2 卧式管壳式换热器滑动座滑动间隙应符合设计文件要求。

检查数量:全数检查。

检验方法:钢尺量。

24.1.3 管壳式换热器安装的允许偏差和检验方法应符合表24.1.3的规定。

检查数量:全数检查。

检验方法:应符合表24.1.3的规定。

表 24.1.3 管壳式换热器安装的允许偏差和检验方法

项次	项 目	允许偏差(mm)	检验方法
1	纵、横中心线	10.0	吊线锤,钢尺量
2	标高	±10.0	水准仪测量
3	立式设备垂直度	$H/1000$	吊线锤,钢尺量
4	卧式设备水平度	$L/1000$	水平仪测量
5	卧式重叠换热设备每层换热筒体水平度	$L/1000$	

注:H 为设备高度;L 为设备长度。

24.2 板面式换热器

Ⅰ 主控项目

24.2.1 板面式换热器强度试验应符合设计文件要求。

检查数量:全数检查。

检验方法:检查试验记录。

Ⅱ 一般项目

24.2.2 板面式换热器滑动座滑动间隙应符合设计文件要求。

检查数量:全数检查。

检验方法:钢尺量。

24.2.3 板面式换热器安装的允许偏差和检验方法应符合表24.2.3的规定。

检查数量:全数检查。

检验方法:应符合表24.2.3的规定。

表 24.2.3 板面式换热器安装的允许偏差和检验方法

项次	项 目	允许偏差(mm)	检验方法
1	纵、横中心线	10.0	吊线锤、钢尺量
2	标高	±10.0	水准仪测量
3	立式设备垂直度	$H/1000$	吊线锤、钢尺量
4	卧式设备纵向水平度	$L/1000$	水平仪测量
5	卧式设备横向水平度	$B/1000$	

注:H 为设备高度;L 为设备长度;B 为设备宽度。

24.3 套管式换热器

Ⅰ 主控项目

24.3.1 套管式换热器管道强度试验应符合设计文件要求。

检查数量:全数检查。

检验方法:检查试验记录。

Ⅱ 一般项目

24.3.2 套管式换热器滑动座滑动间隙应符合设计文件要求。

检查数量:全数检查。

检验方法:钢尺量。

24.3.3 套管式换热器安装的允许偏差和检验方法应符合表24.3.3的规定。

检查数量:全数检查。

检验方法:应符合表24.3.3的规定。

表24.3.3 套管式换热器安装的允许偏差和检验方法

项次	项 目	允许偏差(mm)	检验方法
1	纵、横中心线	10.0	吊线锤,钢尺量
2	标高	±10.0	水准仪测量
3	立式设备垂直度	$H/500$	吊线锤,钢尺量
4	卧式设备纵向水平度	$L/1000$	水平仪测量
5	卧式设备横向水平度	$B/1000$	水平仪测量

注:H 为设备高度;L 为设备长度;B 为设备宽度。

25 煤气净化及化产品回收板式塔及填料塔

25.1 一般规定

25.1.1 进场奥氏体不锈钢设备、钛及钛合金设备、铝及铝合金设备及其零部件应采取隔离保护措施,不得与碳素钢、低合金钢接触。

25.1.2 塔类设备安装前应复测基础沉降观测点,在安装过程中继续进行沉降观测。

25.2 板式塔组装

Ⅰ 主控项目

25.2.1 板式塔的塔圈、盖及连接管法兰、加工连接面上不应有裂纹、深度大于 0.5mm 的径向划痕及其他影响连接密封性能的缺陷。

检查数量:全数检查。

检验方法:观察检查。

25.2.2 分段进场的板式塔安装前应检查出厂焊缝质量证明文件。

检查数量:全数检查。

检验方法:检查出厂焊缝无损检测记录。

Ⅱ 一般项目

25.2.3 现场组装的两段筒体,应在内外壁上划出 0°、90°、180°、270°四条基准线,作为整体组装及安装内部元件的基准。

检查数量:全数检查。

检验方法:观察检查。

25.2.4 钢制焊接连接的筒体,筒体弧度应符合设计文件的要求,应采用弦长为 $D/4$ 且不小于 500mm 的样板检查,间隙不应大于 3.0mm。筒体分段处的圆周长应符合设计文件要求。封头主要尺寸偏差、表面凸凹值等应符合设计要求,并应符合现行国家标准《压力容器封头》GB/T 25198 的有关规定。

检查数量:全数检查。

检验方法:样板检查、钢尺检查。

25.2.5 各段塔间的对应角度应符合设计规定。

检查数量:全数检查。

检验方法:经纬仪测量、钢尺检查。

25.2.6 塔的组装允许偏差和检验方法应符合表 25.2.6 的规定。

检查数量:全数检查。

检验方法:应符合表 25.2.6 的规定。

表 25.2.6 板式塔组装的允许偏差和检验方法

项次	项	目		允许偏差(mm)	检验方法
1	错边量	纵缝	$s \leqslant 10$	2.0	量规量
			$s > 10$	3.0	
			复合钢板	$0.5s$,且$\leqslant 1.0$	
		横缝	两板等厚	$0.25s$,且$\leqslant 4.0$	
			两板不等厚[2]	4.0	
			复合钢板	$0.5s$,且$\leqslant 1.0$	
2	塔裙轴线与塔体轴线偏差			5.0	吊线锤、钢尺量
3	筒体圆度偏差	常压		$1\%D$,且$\leqslant 30.0$	钢尺量
		内压		$1\%D$,且$\leqslant 25.0$	钢尺量
		外压		$0.5\%D$,且$\leqslant 25.0$	钢尺量
		塔盘处塔体		$0.5\%D$,且$\leqslant 15.0$	钢尺量
4	塔壁圆弧凹凸量			5.0	样板尺、塞尺量
5	法兰面水平(垂直)度			$D_N/1000$,且$\leqslant 3.0$	吊线锤、钢尺量
6	塔外壁到法兰面距离			± 3.0	钢尺量
7	塔体上开孔中心方位			5.0	钢尺量
8	塔体上开孔中心标高			± 5.0	水准仪测量

续表 25.2.6

项次	项目		允许偏差(mm)	检验方法
9	塔体直线度	$H \leqslant 30000$	$H/1000$	拉钢丝、钢尺量
		$H > 30000$	$0.6H/1000$	
10	塔体高度		$3H/1000$,且$\leqslant 40.0$	钢尺量

注:1 s 为壁厚(复合钢板指复层厚度);D 为塔的直径;D_N 为法兰公称直径;H 为塔的高度。
  2 当两板厚度不等,错边量大于 4.0mm 时,按现行国家标准《现场设备、工业管道焊接工程施工规范》GB 50236 的规定进行坡口加工修整。

25.3 板式塔焊接

Ⅰ 主控项目

25.3.1 焊接应有焊接工艺评定报告,并应根据焊接工艺评定报告编制焊接作业指导书。

检查数量:全数检查。

检验方法:检查焊接工艺评定报告和焊接作业指导书。

25.3.2 塔体对接焊缝质量应符合设计文件要求,当设计无要求时,焊缝质量应符合射线检测质量分级的Ⅲ级或超声波检测质量分级的Ⅱ级标准的技术要求,并应符合现行行业标准《承压设备无损检测》NB/T 47013 的有关规定。

检查数量:抽查 10%。

检验方法:观察检查,检查焊缝无损检测记录。

25.3.3 开孔直径 1.5 倍范围内的焊缝或被开孔补强圈覆盖的焊缝内部质量应符合设计文件要求。当设计无要求时,其内部质量应符合射线检测质量分级的Ⅲ级或超声波检测质量分级的Ⅱ级标准的技术要求,并应符合现行行业标准《承压设备无损检测》NB/T 47013 规定。

检查数量:全数检查。

检验方法:观察检查,检查无损检测记录。

25.3.4 焊后需热处理的焊缝,热处理应符合设计文件要求。

检查数量:全数检查。

检验方法:检查热处理记录。

Ⅱ 一 般 项 目

25.3.5 不锈钢材质的焊缝,应进行酸洗钝化处理。

检查数量:全数检查。

检验方法:观察检查,检查焊缝酸洗钝化记录。

25.3.6 设计有衬里要求的塔,塔内焊缝表面应光滑。

检查数量:全数检查。

检验方法:观察检查。

25.3.7 板式塔焊接焊缝尺寸的允许偏差和检验方法应符合表25.3.7的规定。

检查数量:全数检查。

检验方法:应符合表25.3.7的规定。

表 25.3.7 板式塔焊接焊缝尺寸的允许偏差和检验方法

项次	项 目		允许偏差(mm)			检验方法
			Ⅰ	Ⅱ	Ⅲ	
1	焊缝余高 C		单层钢板	$1+0.1B$,且≤ 3.0		$1+0.2B$,且≤ 5.0	量规量
			复合钢板	$1+0.1B$,且≤ 2.0			
2	对口错边 d		单层钢板	$0.15t$,且≤ 3.0		$0.25t$,且≤ 4.0	量规量
			复合钢板	$0.5t$,且≤ 1.0			
3	焊缝宽度 B		每边比坡口增宽≤ 2.0			

注:1 B 为焊缝宽度;t 为板厚(复合钢板指复层厚度)。

  2 Ⅰ、Ⅱ、Ⅲ为焊缝外观检查等级。

25.4 板式塔安装

Ⅰ 主控项目

25.4.1 板式塔安装时,底座垫板应超过塔体壁板内侧面。

检查数量:全数检查。

检验方法:观察检查。

25.4.2 采用法兰连接的板式塔塔体安装后,在塔盘安装前,塔体应按设计文件要求进行严密性试验。当设计无要求时,应符合本规范附录F的规定。

检查数量:全数检查。

检验方法:观察检查,检查试验记录。

25.4.3 板式塔安装后均应按设计文件要求进行水压试验,当设计无要求时,应符合本规范附录F的规定。

检查数量:全数检查。

检验方法:观察检查,检查试压记录。

25.4.4 板式塔安装后因设计构造或其他原因不能做水压试验时,应进行气压试验,气压试验应符合设计文件的要求。当设计无要求时,应符合本规范附录F的规定。

检查数量:全数检查。

检验方法:观察检查,检查试压记录。

Ⅱ 一般项目

25.4.5 塔内衬里或其他内防腐部位的焊缝外观质量应符合设计要求。

检查数量:全数检查。

检验方法:观察检查。

25.4.6 板式塔安装的允许偏差和检验方法应符合表25.4.6的规定。

检查数量:全数检查。

检验方法:应符合表25.4.6的规定。

表 25.4.6 板式塔安装的允许偏差和检验方法

项次	项 目	允许偏差(mm)	检验方法
1	底座标高	±10.0	水准仪测量
2	底座纵横中心线	10.0	拉钢丝、钢尺量
3	垂直度	$H/1000$,且≤30.0	经纬仪测量
4	塔圈法兰面的水平度	$D/1000$,且≤5.0	水平仪测量

注:H 为塔高;D 为塔的直径。

25.5 板式塔部件安装

Ⅰ 主控项目

25.5.1 安全阀进行最终整定压力调整应符合现行行业标准《安全阀安全技术监察规程》TSG ZF001 的有关规定,并应进行标识。

检查数量:全数检查。

检验方法:观察检查,检查安全阀调整记录。

Ⅱ 一般项目

25.5.2 塔盘气液分布元件安装质量应符合下列规定:

1 浮阀、浮舌齐全、无脱落,上下活动灵活,开度一致;

检查数量:全数检查。

检验方法:观察检查及手动检查。

2 筛板表面平整,无明显凹凸变形,蛇形搭板舌片方向符合设计文件要求;

检查数量:抽查10%。

检验方法:观察检查。

3 浮动喷射塔板的浮动板应齐全、无脱落、转动灵活、开度一致、闭合严密;

检查数量:全数检查。

检验方法:观察检查和手动检查。

4 泡罩及紧固件应齐全,安装应符合设计文件要求。同一层的泡罩位置应调整在同一水平面上并紧固牢固。

检查数量:抽查10%。

检验方法:观察检查。

25.5.3 塔盘的安装质量应符合设计文件要求,应无明显变形,塔盘、卡具、密封垫片安装位置应正确,塔盘应搭接均匀。

检查数量:全数检查。

检验方法:观察检查。

25.5.4 板式塔内件安装允许偏差和检验方法应符合表25.5.4的规定。

检查数量:全数检查。

检验方法:应符合表25.5.4的规定。

表25.5.4 板式塔内件安装的允许偏差和检验方法

项次	项目		允许偏差(mm)	检验方法
1	支撑梁纵、横中心线		2.0	拉线、钢尺量
	梁、支撑圈表面标高相对差		$L/1000$,且≤5.0	钢尺量
2	支承圈间距	相邻两层之间	±3.0	钢尺量
		任意两层之间	±10.0	
3	塔盘	300mm 范围内的水平度	2.0	钢尺量
		整块塔盘板平面度 $L_1≤1000$	2.0(3.0)	
		$1000<L_1≤1500$	2.5(3.5)	
		$L_1>1500$	3.0(4.0)	
		塔盘上表面的水平度 $D≤1600$	4.0	U形管检查
		$1600<D≤4000$	6.0	
		$4000<D≤6000$	9.0	
		$6000<D≤8000$	12.0	
		$8000<D≤10000$	15.0	
4	受液盘	受液盘平面度 $L_2≤4000$	3.0	钢尺量
		$L_2>4000$	$L/1000$ 且≤7.0	

续表 25.5.4

项次	项目		允许偏差（mm）	检验方法
5	降液盘	底部与受液盘上表面的距离	±3.0	钢尺量
		立边与受液盘立边的距离	+5.0 -3.0	
6	溢流堰	堰高 $D\leqslant 3000$	±1.5	U形管检查
		堰高 $D>3000$	±3.0	
		上表面水平度 $D\leqslant 1500$	3.0	
		上表面水平度 $1500<D\leqslant 2500$	4.5	
		上表面水平度 $D>2500$	6.0	
7	气液分布元件	浮动喷射塔 梯形孔底面的水平度	$D/500$	拉线、钢尺量
		浮动喷射塔 托板、浮动板平面度	1.0	
8		圆形、条形泡罩 与升气管同心度	3.0	钢尺量
		圆形、条形泡罩 齿根到塔盘上表面距离	±1.5	
9	舌形塔盘固定舌片任何方向的平面度		0.5	钢尺量
10	喷头扑沫器中心线		2.0	钢尺量
11	液体分流装置的溢流支管开口下缘水平偏差		2.0	拉线、钢尺量

注：1 括号内的数字为舌形塔盘的平面度。
  2 L 为梁长度或支撑圈弦长；L_1 为受液板长度；L_2 为受液盘全长；D 为塔内径。

25.6 填料塔组装

Ⅰ 主控项目

25.6.1 填料塔的塔圈、盖及连接管法兰、加工连接面上不应有裂纹、深度大于 0.5mm 的径向划痕及其他影响连接密封性能的缺陷。

  检查数量：全数检查。

  检验方法：观察检查。

25.6.2 分段进场的填料塔安装前应检查出厂焊缝质量证明文件。

检查数量:全数检查。

检验方法:检查出厂焊缝无损检测记录。

Ⅱ 一 般 项 目

25.6.3 现场组装的两段筒体,应在内外壁上划出0°、90°、180°、270°四条基准线,作为整体组装及安装内部元件的基准。

检查数量:全数检查。

检验方法:观察检查。

25.6.4 钢制焊接连接的筒体,筒体弧度应符合设计文件的要求,应采用弦长为$D/4$且不小于500mm的样板检查,间隙不应大于3.0mm。筒体分段处的圆周长应符合设计文件和规范要求。封头主要尺寸偏差、表面凸凹值应符合设计要求,并应符合现行国家标准《压力容器封头》GB/T 25198的有关规定。

检查数量:全数检查。

检验方法:样板检查、钢尺检查。

25.6.5 各段塔间的对应角度应符合设计要求。

检查数量:全数检查。

检验方法:经纬仪测量、钢尺检查。

25.6.6 塔的组装允许偏差和检验方法应符合表25.6.6的规定。

检查数量:全数检查。

检验方法:应符合表25.6.6的规定。

表25.6.6 填料塔组装的允许偏差和检验方法

项次	项 目			允许偏差(mm)	检验方法
1	错边量	纵缝	$s \leqslant 10$	2.0	量规量
			$s > 10$	3.0	
			复合钢板	$0.5s$,且$\leqslant 1.0$	
		横缝	两板等厚	$0.25s$,且$\leqslant 4.0$	
			两板不等厚[2]	4.0	
			复合钢板	$0.5s$,且$\leqslant 1.0$	

续表 25.6.6

项次	项 目		允许偏差(mm)	检验方法
2	塔裙轴线与塔体轴线偏差		5.0	吊线锤、钢尺量
3	筒体圆度偏差	常压	1‰D,且≤30.0	钢尺量
		内压	1‰D,且≤25.0	钢尺量
		外压	0.5‰D,且≤25.0	钢尺量
		塔盘处塔体	0.5‰D,且≤15.0	钢尺量
4	塔壁圆弧凹凸量		5.0	样板尺、塞尺量
5	法兰面水平(垂直)度		DN/1000,且≤3.0	吊线锤、钢尺量
6	塔外壁到法兰面距离		±3.0	钢尺量
7	塔体上开孔中心方位		5.0	钢尺量
8	塔体上开孔中心标高		±5.0	水准仪测量
9	塔体直线度	H≤30000	H/1000	拉钢丝、钢尺量
		H>30000	0.6H/1000	
10	塔体高度		3H/1000,且≤40.0	钢尺量

注:1 s 为壁厚(复合钢板指复层厚度);D 为塔的直径;DN 为法兰公称直径;H 为塔的高度。

2 当两板厚度不等,错边量大于 4.0mm 时,按现行国家标准《现场设备、工业管道焊接工程施工规范》GB 50236 的规定进行坡口加工修整。

25.7 填料塔焊接

Ⅰ 主控项目

25.7.1 焊接应有焊接工艺评定报告,并应根据焊接工艺评定报告编制焊接作业指导书。

检查数量:全数检查。

检验方法:检查焊接工艺评定报告和焊接作业指导书。

25.7.2 塔体对接焊缝质量应符合设计文件要求,当设计无要求时,焊缝质量应符合射线检测质量分级的Ⅲ级或超声波检测质量分级的Ⅱ级标准的技术要求,并应符合现行行业标准《承压设备无损检测》NB/T 47013 的有关规定。

检查数量:抽查 10%。

检验方法:观察检查,检查焊缝无损检测记录。

25.7.3 开孔直径 1.5 倍范围内的焊缝或被补强圈覆盖的焊缝内部质量应符合设计文件要求。当设计无要求时,其内部质量应符合射线检测质量分级的Ⅲ级或超声波检测质量分级的Ⅱ级标准的技术要求,并应符合现行行业标准《承压设备无损检测》NB/T 47013 的有关规定。

检查数量:全数检查。

检验方法:观察检查,检查无损检测记录。

25.7.4 焊后需热处理的焊缝,热处理应符合设计文件要求。

检查数量:全数检查。

检验方法:检查热处理记录。

Ⅱ 一 般 项 目

25.7.5 不锈钢材质的焊缝,应进行酸洗钝化处理。

检查数量:全数检查。

检验方法:观察检查,检查焊缝酸洗钝化记录。

25.7.6 设计有衬里要求的塔,塔内焊缝表面应光滑。

检查数量:全数检查。

检验方法:观察检查。

25.7.7 塔类设备现场焊接焊缝尺寸的允许偏差和检验方法应符合表 25.7.7 的规定。

检查数量:全数检查。

检验方法:应符合表 25.7.7 的规定。

表 25.7.7 填料塔焊接焊缝尺寸的允许偏差和检验方法

项次	项目			允许偏差(mm)			检验方法
				Ⅰ	Ⅱ	Ⅲ	
1	焊缝余高 C		单层钢板	$1+0.1B$，且≤3.0	$1+0.2B$，且≤5.0		量规量检查
			复合钢板	$1+0.1B$，且≤2.0			
2	对口错边 d		单层钢板	$0.15t$，且≤3.0	$0.25t$，且≤4.0		量规量检查
			复合钢板	$0.5t$，且≤1.0			
3	焊缝宽度 B			每边比坡口增宽≤2.0			

注：1 t 为板厚(复合钢板指复层厚度)。

2 Ⅰ、Ⅱ、Ⅲ为焊缝外观检查等级。

25.8 填料塔安装

Ⅰ 主控项目

25.8.1 塔安装时,底座垫板应超过塔体壁板内侧面。

检查数量:全数检查。

检验方法:观察检查。

25.8.2 采用法兰连接的塔体安装后,在塔盘安装前,塔体应按设计文件要求进行严密性试验。当设计无要求时,应符合本规范附录 F 的规定。

检查数量:全数检查。

检验方法:观察检查,检查试验记录。

25.8.3 塔安装后均应按设计文件要求进行水压试验,当设计无要求时,应符合本规范附录F的规定。

检查数量:全数检查。

检验方法:观察检查,检查试压记录。

25.8.4 塔安装后因设计构造或其他原因不能做水压试验时,应进行气压试验,气压试验应符合设计文件的要求。当设计无要求时,应符合本规范附录F的规定。

检查数量:全数检查。

检验方法:观察检查,检查试压记录。

Ⅱ 一 般 项 目

25.8.5 塔内衬里或其他内防腐部位的焊缝外观质量应符合设计要求。

检查数量:全数检查。

检验方法:观察检查。

25.8.6 填料塔安装的允许偏差和检验方法应符合表25.8.6的规定。

检查数量:全数检查。

检验方法:应符合表25.8.6的规定。

表25.8.6 填料塔安装允许偏差和检验方法

项次	项 目	允许偏差(mm)	检验方法
1	底座标高	±10.0	水准仪测量
2	底座纵、横中心线	10.0	拉钢丝、钢尺量
3	垂直度	$H/1000$,且≤30.0(H为塔高)	经纬仪测量
4	塔圈法兰面的水平度	$D/1000$,且≤5.0(D为塔的直径)	水平仪测量

25.9 填料塔内件

一 般 项 目

25.9.1 塔内件安装前应检查部件外观质量和出厂质量证明文件。

检查数量:全数检查。

检验方法:观察检查,检查出厂质量证明文件。

25.9.2 填料塔内的填充物应清洁,填充物的排列方式、高度和填充的体积应符合设计文件要求;丝网波纹填料的波纹方向应符合设计文件要求,分块装填时每块应均匀夹紧。

检查数量:抽查10%。

检验方法:观察检查。

25.9.3 瓷环应按设计文件要求靠塔壁逐圈排列整齐,层间错开角度应符合设计文件要求。

检查数量:全数检查。

检验方法:观察检查。

25.9.4 填料塔内件安装允许偏差和检验方法应符合表25.9.4的规定。

检查数量:全数检查。

检验方法:应符合表25.9.4的规定。

表25.9.4 填料塔内件安装允许偏差和检验方法

项次	项目		允许偏差(mm)	检验方法
1	支撑梁纵、横中心线		2.0	拉钢丝、钢尺量
	梁、支撑圈表面高低差		$L/1000$,且≤5.0	钢尺量
2	支承圈间距	相邻两层之间	±3.0	钢尺量
		任意两层之间	±10.0	
3	填料支撑结构件的水平度		$2D/1000$,且≤4.0	水平仪
4	丝网波纹填料波纹片方向与塔轴线的夹角		5°	拉钢丝、角度尺量
5	液体分流装置的溢流支管开口下缘水平偏差		2.0	拉钢丝、钢尺量

注:L为梁、支撑圈全长;D为塔内径。

26 煤气净化及化产品回收容器

26.1 容器类设备本体组装

Ⅰ 主控项目

26.1.1 开孔直径 1.5 倍范围内的焊缝和被补强圈覆盖的焊缝内部质量应符合设计文件要求。当设计无要求时,其内部质量应符合射线检测质量分级的Ⅲ级或超声波检测质量分级的Ⅱ级标准的技术要求,并应符合现行行业标准《承压设备无损检测》NB/T 47013 的有关规定。

检查数量:全数检查。

检验方法:观察检查,检查无损检测记录。

Ⅱ 一般项目

26.1.2 容器类设备本体组装的允许偏差和检验方法应符合表 26.1.2 的规定。

检查数量:全数检查。

检验方法:应符合表 26.1.2 的规定。

表 26.1.2 容器类设备本体组装允许偏差和检验方法(mm)

项次	项 目			允许偏差	检验方法
1	错边量	纵缝	单层钢板	$0.1s$ 且 $\leqslant 3.0$	焊缝量规量
			复合钢板	$0.5s$ 且 $\leqslant 1.0$	
		横缝	单层钢板 $s \leqslant 10$	$0.2s$	
			单层钢板 $s>10$ 碳素钢奥氏体不锈钢	$0.1s+1$,且 $\leqslant 4.0$	
			$\sigma_s > 400$ MPa 钢材铬钼钢	$0.1s$,且 $\leqslant 3.0$	
			复合钢板	$0.5s$,且 $\leqslant 1.0$	
2	支座、裙座的中心线对设备中心线			±5.0	吊线锤,钢尺量

续表 26.1.2

项次	项目		允许偏差	检验方法
3	筒体圆度	内压	$1\%D, \leqslant 25.0$	钢尺量
		外压	$0.5\%D, \leqslant 25.0$	钢尺量
4	筒体直线度	$H \leqslant 30000$	$H/1000$	拉钢丝, 钢尺量
		$H > 30000$	$0.6H/1000$	

注：1　s 为壁厚(复合钢板指复层厚度)；D 为筒体直径；H 为筒体长度(mm)；σ_s 为屈服极限。

2　复合板错边量以复层侧为测量基准。

26.2　容器类设备现场焊接

Ⅰ　主控项目

26.2.1　焊接应有焊接工艺评定,并应根据评定报告确定焊接工艺,编制焊接作业指导书。

检查数量：全数检查。

检验方法：检查焊接工艺评定报告和焊接作业指导书。

26.2.2　焊缝质量应符合设计文件要求。当设计无要求时,其焊缝质量应符合射线检测质量分级的Ⅲ级或超声波检测质量分级的Ⅱ级标准的技术要求,并应符合现行行业标准《承压设备无损检测》NB/T 47013 的有关规定。

检查数量：抽查 10%。

检验方法：观察检查或检查射线探伤记录。

26.2.3　焊后需热处理的焊缝,热处理应符合设计文件要求。

检查数量：全数检查。

检验方法：检查热处理记录。

Ⅱ　一般项目

26.2.4　压力容器现场焊接焊缝尺寸的允许偏差应符合设计文件要求,并应符合现行国家标准《压力容器》GB 150 的有关规定。其余容器类设备现场焊接焊缝尺寸的允许偏差和检验方法应符合表

26.2.4 的规定。

检查数量:抽查10%。

检验方法:应符合表26.2.4的规定。

表26.2.4 焊接焊缝尺寸允许偏差和检验方法(mm)

项次	项 目			允许偏差			检验方法
				Ⅰ	Ⅱ	Ⅲ	
1	焊缝余高 C		单层钢板	$1+0.1B$,且≤3.0		$1+0.2B$,且≤5.0	量规量检查
			复合钢板	$1+0.1B$,且≤2.0			
2	对口错边 d		单层钢板	$1+0.1B$,且≤2.0		$0.25t$,且≤4.0	
			复合钢板	$0.5t$,且≤1.0			
3	焊缝宽度 B			每边比坡口增宽≤2.0			

注:1 B 为焊缝宽度,t 为板厚(复合钢板指复层厚度)。

  2 Ⅰ、Ⅱ、Ⅲ为焊缝外观检查等级。

26.3 容器类设备安装

Ⅰ 主 控 项 目

26.3.1 卧式容器滑动座的滑动间隙应符合设计文件要求。

检查数量:全数检查。

检验方法:观察检查。

26.3.2 安全阀进行最终整定压力调整应符合现行行业标准《安全阀安全技术监察规程》TSG ZF001 的有关规定,并应铅封。

检查数量:全数检查。

检验方法:观察检查,检查安全阀调整记录。

26.3.3 设备强度试验、严密性试验应符合设计文件要求。当设计无要求时,应符合本规范附录 F 的规定。

检查数量:全数检查。

检验方法:检查强度试验、严密性试验记录。

Ⅱ 一 般 项 目

26.3.4 容器类设备安装的允许偏差和检验方法应符合表 26.3.4 的规定。

检查数量:全数检查。

检验方法:应符合表 26.3.4 的规定。

表 26.3.4 容器类设备安装的允许偏差和检验方法

项次	项 目			允许偏差(mm)	检验方法
1	纵横中心线	立式	$D \leqslant 2000$	5.0	吊线锤、钢尺量
			$D > 2000$	10.0	
		卧式		5.0	
2	标高			±5.0	水准仪测量
3	立式设备垂直度			$H/1000$,且$\leqslant 25.0$	吊线锤、钢尺量或经纬仪测量
4	卧式设备水平度	轴向		$L/1000$	水平仪测量
		径向		$2D/1000$	

注:D 为设备的外径;L 为卧式设备两支座间的距离;H 为立式设备两端部测点间的距离(mm)。

27 煤气净化及化产品回收槽罐

27.1 槽　　罐

Ⅰ 主控项目

27.1.1 底板、壁板、顶板预制件和设备附件应符合设计文件要求并应符合现行国家标准《立式圆筒形钢制焊接储罐施工规范》GB 50128 的有关规定。

检查数量：全数检查。

检验方法：钢尺量、样板检查。

27.1.2 槽罐类设备安装后，槽内加热管应按设计文件要求进行压力试验。当设计无要求时，应符合本规范附录 F 的规定。

检查数量：全数检查。

检验方法：检查无损检测和试压记录。

27.1.3 槽罐充水试验、顶板严密性试验应符合设计文件要求。当设计无要求时，应符合现行国家标准《立式圆筒形钢制焊接储罐施工规范》GB 50128 的有关规定。当充水试验时，贮槽基础不均匀下沉值不应大于贮槽直径的 1/300。

检查数量：全数检查。

检验方法：观察检查，检查记录。

Ⅱ 一般项目

27.1.4 基础表面垫层应符合设计文件要求，当设计无要求时，允许偏差和检验方法应符合表 27.1.4、图 27.1.4 的规定。

检查数量：全数检查。

检验方法：应符合表 27.1.4 的规定。

表 27.1.4 槽罐基础表面垫层允许偏差和检验方法

项次	项 目	偏差(mm)	检测部位	检验方法
1	标高	±15.0	A	水准仪测量
2	任意两点标高相对差	10.0	B	水准仪测量
3	相邻二点标高相对差	5.0		
4	任意两点标高相对差	10.0	C	水准仪测量
5	相邻二点标高相对差	6.0		

注:B、C 点的取点数,当 $D \leqslant 10m$ 取 8 点,当 $D>10m$ 时取 16 点。

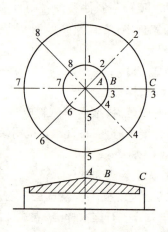

图 27.1.4 槽罐基础表面测量取点示意图

27.1.5 底板对接或搭接形式符合设计要求。任意相邻焊缝之间的距离不应小于 200.0mm。

检查数量:全数检查。

检验方法:钢尺量。

27.1.6 壁板安装应符合下列规定:

1 各圈壁板的纵向焊缝宜错开,其间距宜为板长的 1/3,且不应小于 500.0mm;

2 底圈壁板的纵向焊缝与罐底边缘的对接焊缝之间的距离不应小于 200.0mm;

3 包边角钢对接接头与壁板纵向焊缝之间的距离不应小于

200.0mm；

  4 直径小于 12.5m 的槽罐，其壁板宽度不应小于 500.0mm，长度不应小于 1000.0mm；直径大于或等于 12.5m 的槽罐，其壁板宽度不应小于 1000.0mm，长度不应小于 2000.0mm；

  5 壁板采用搭接接头时，搭接宽度的允许偏差为±5.0mm，搭接间隙不应大于 1.0mm，丁字焊缝搭接接触的局部间隙不应大于 2.0mm。

  检查数量：全数检查。

  检验方法：钢尺量。

27.1.7 固定顶、浮顶和内浮顶的搭接宽度允许偏差为±5.0mm，任意相邻焊缝之间的距离不应小于 200.0mm。

  检查数量：全数检查。

  检验方法：钢尺量。

27.1.8 槽罐类设备安装的允许偏差和检验方法应符合表 27.1.8 的规定。

  检查数量：全数检查。

  检验方法：应符合表 27.1.8 的规定。

表 27.1.8 槽罐类设备的允许偏差和检验方法

项次	项 目			允许偏差(mm)	检验方法
1	底板	局部凸凹变形量		2%变形长度，且≤50.0	水准仪测量
2	底圈壁板	相邻壁板上口水平偏差		2.0	水准仪测量
		圆周任意两点水平偏差		6.0	水准仪测量
		壁板垂直度		3.0	吊线锤、钢尺量
		1m 处任意两点半径差	$D \leqslant 12.5m$	±13.0	钢尺量
			$12.5m < D \leqslant 45m$	±19.0	
			$45m < D \leqslant 76m$	±25.0	
			$D > 76m$	±32.0	

续表 27.1.8

项次	项目		允许偏差(mm)	检验方法
3	壁板高度		0.5%H	钢尺量
4	壁板垂直度		0.4%H,且≤50.0	吊线锤、钢尺量
5	壁板局部凸凹变形量	$\delta \leqslant 25mm$	13.0	钢尺量
5	壁板局部凸凹变形量	$\delta > 25m$	10.0	钢尺量
6	固定顶	固定顶支撑柱垂直度	0.1%H_1,且≤10.0	吊线锤、钢尺量
6	固定顶	固定顶局部凸凹变形量	15.0	钢尺量
6	浮顶	浮顶外边缘板与底圈壁板间隙	±15.0	钢尺量
6	浮顶	浮顶外边缘的垂直度	3.0	吊线锤、钢尺量
6	浮顶	船舱顶板的局部变形量	10.0	钢尺量
7	附件安装	开孔接管的中心偏差	10.0	钢尺量
7	附件安装	接管法兰与壁板距离	±5.0	钢尺量
7	附件安装	法兰垂直度	D_1%,且≤3.0	吊线锤、钢尺量
7	附件安装	量油导管的垂直度	0.1%H_2,且≤10.0	吊线锤、钢尺量
7	附件安装	转动浮梯中心线的水平投影与轨道中心线重合度	10.0	吊线锤、钢尺量

注:D 为槽体直径;D_1 为法兰直径;H 为槽体壁板高度;H_1 为槽体支撑柱高度;H_2 为油导管的高度;δ 为板厚。

27.2 槽罐焊接

Ⅰ 主控项目

27.2.1 设备焊接应有焊接工艺评定,并应根据评定报告确定焊接工艺,编制焊接作业指导书。

检查数量:全数检查。

检验方法:检查焊接工艺评定报告和焊接作业指导书。

27.2.2 焊缝质量应符合设计文件要求,当设计无要求时,焊缝质量应符合射线检测质量分级Ⅲ级标准的技术要求,并应符合现行行业标准《承压设备无损检测》NB/T 47013 的有关规定;对屈服点大于 390MPa 碳素钢或厚度不小于 25.0mm 的普通碳素钢及厚度不小于 16.0mm 的低合金钢的焊缝质量应符合射线检测质量分级 Ⅱ 级的技术要求,并应符合现行行业标准《承压设备无损检测》NB/T 47013 的有关规定。

检查数量:抽查 20%。

检验方法:检查无损检测记录。

27.2.3 焊缝无损检测设计无要求时,检测比例应符合现行国家标准《立式圆筒形钢制焊接储罐施工规范》GB 50128 的有关规定。

检查数量:抽查 20%。

检验方法:检查无损检测记录。

27.2.4 焊后需加热消氢处理的焊缝,消氢处理应符合设计文件要求。

检查数量:全数检查。

检验方法:检查记录。

27.2.5 槽底板、浮顶底板焊接后应按设计文件要求对焊缝用真空箱法进行严密性试验,当设计无要求时,应以 53kPa 做严密性试验。

检查数量:全数检查。

检验方法:真空泵检查。

Ⅱ 一 般 项 目

27.2.6 焊缝外观质量应符合 Ⅲ 级标准的技术要求,并应符合现行国家标准《现场设备、工业管道焊接工程施工质量验收规范》GB 50683 的有关规定。

检查数量:抽查 20%。

检验方法:焊缝量规检查。

27.2.7 槽罐类设备现场焊接焊缝尺寸的允许偏差和检验方法应符合表 27.2.7 的规定。

检查数量:抽查 10%。

检验方法:应符合表 27.2.7 的规定。

表 27.2.7 槽罐焊接焊缝尺寸的允许偏差和检验方法

项次	项目			允许偏差(mm)	检验方法
1	焊缝余高	_	浮顶、内浮顶罐壁内侧焊缝	1.0	焊缝量规测量
		$\delta \leqslant 12$	纵向	2.0	
			横向	2.5	
			罐底焊缝	2.0	
		$12 < \delta \leqslant 25$	纵向	3.0	
			横向	3.5	
			罐底焊缝	3.0	
		$\delta > 25$	纵向	4.0	
			横向	4.5	
2	接头错边量	纵向焊缝	$\delta \leqslant 10$	1.0	
			$\delta > 10$	$\delta/10$,且$\leqslant 1.5$	
		横向焊缝	$\delta < 8$	$\leqslant 1.5$	
			$\delta \geqslant 8$	$\delta/5$,且$\leqslant 3.0$	

注：δ 为板厚，单位为 mm。

28 煤气净化及化产品回收加热器

28.1 管式加热炉

Ⅰ 主控项目

28.1.1 炉管及附件应在安装前进行严格检查,加氢、裂解、转化炉用炉管应进行水压试验。

检查数量:抽查5%。

检验方法:观察检查,检查试验记录。

28.1.2 炉管焊接应有焊接工艺评定,并应根据工艺评定报告确定焊接工艺,编制焊接作业指导书。

检查数量:全数检查。

检验方法:检查焊接工艺评定报告及焊接作业指导书。

28.1.3 炉管焊缝质量应符合设计文件要求。当设计无要求时,应符合现行国家标准《现场设备、工业管道焊接工程施工质量验收规范》GB 50683 的有关规定。

检查数量:碳素钢炉管焊缝抽查10%;合金钢炉管抽查20%;加氢、裂解、转化炉不锈钢材质的炉管焊缝100%进行检验。

检验方法:检查无损检测报告。

28.1.4 焊缝热处理应符合设计文件要求。

检查数量:全数检查。

检验方法:检查热处理记录。

28.1.5 炉管安装后,应按设计文件要求进行系统水压试验。当设计无要求时,水压试验压力应为 1.25 倍工作压力,稳压 15min,无泄漏后,降至工作压力,停压 10min,无渗漏为合格。

检查数量:全数检查。

检验方法:观察检查,检查记录。

Ⅱ 一般项目

28.1.6 弹簧吊架安装应符合现行国家标准《工业金属管道工程施工质量验收规范》GB 50184 的有关规定。

检查数量:全数检查。

检验方法:观察检查。

28.1.7 加热炉安装的允许偏差和检验方法应符合表 28.1.7 的规定。

检查数量:全数检查。

检验方法:应符合表 28.1.7 的规定。

表 28.1.7 管式加热炉的允许偏差和检验方法

项次	项	目	允许偏差(mm)	检验方法
1	炉体钢结构	立柱纵横中心	3.0	吊线锤、钢尺量
2		立柱垂直度	$H/1000$ 且 $\leqslant 12.0$	
3		立柱标高	±5.0	水准仪测量
4	框架立柱	立柱相邻高差	5.0	水准仪测量
5		框架对角线差	$L/1000$,且 $\leqslant 10.0$	钢尺量
6	平台、横梁	横梁标高	±5.0	水准仪测量
7		横梁水平度	$L/1000$,且 $\leqslant 5.0$	水平仪
8		横梁纵、横中心线	2.0	经纬仪测量
9	烟筒管垂直度		$H_1/1000$,且 $\leqslant 20.0$	吊线锤、钢尺量
10	管架、板架及内衬支架	横梁管架标高	±2.0	水准仪测量
11		立管上下管架中心线	2.0	吊线锤、钢尺量
12		管板同轴度	4.0	经纬仪测量
13		管板垂直度	$1/1000$,且 $\leqslant 10.0$	吊线锤、钢尺量
14		内衬支架标高	±5.0	水准仪测量
15		内衬支架在同一平面高差	5.0	

注:H 为柱高;L 为长度;D 为圆直径;H_1 为筒体高度。

28.1.8 炉管组对焊接的允许偏差和检验方法应符合表 28.1.8 的规定。

检查数量:全数检查。
检验方法:应符合表 28.1.8 的规定。

表 28.1.8 炉管组对焊接的允许偏差和检验方法

项次	项目		允许偏差(mm)			检验方法
			Ⅰ	Ⅱ	Ⅲ	
1	余高 C		$1+0.1t$,且≤3.0	$1+0.2B$,且≤5.0		量规量
2	对口错边 d		$0.15t$,且≤3.0	$0.25s$,且≤4.0		量规量
3	焊缝宽度 B		超过每边坡口约 2.0^{+1}_{0}			量规量
4	炉管组对	炉管长度	±2.0			钢尺量
		直线度 $L\leqslant6000$	4.0			拉线、钢尺量
		直线度 $L>6000$	8.0			拉线、钢尺量
		对口错边 $D_N\leqslant100$	0.5			焊缝量规测量
		对口错边 $D_N>100$	1.0			焊缝量规测量
		裂解炉	0.5			焊缝量规测量

注:1 B 为焊缝宽度;t 为板厚;D_N 为炉管公称直径;L 为炉管长度。
  2 Ⅰ、Ⅱ、Ⅲ 为焊缝外观检查等级。

29 煤气净化及化产品机械澄清槽、离心分离机

29.1 机械澄清槽

Ⅰ 主控项目

29.1.1 槽底焊缝应按设计文件要求用真空箱法进行严密性试验,当设计无要求时,应以53kPa做严密性试验。

检查数量:全数检查。

检验方法:真空泵检查。

Ⅱ 一般项目

29.1.2 刮板与槽底间隙应为5.0mm～10.0mm。

检查数量:全数检查。

检验方法:钢尺量。

29.1.3 机械澄清槽安装的允许偏差和检验方法应符合表29.1.3的规定。

检查数量:全数检查。

检验方法:应符合表29.1.3的规定。

表29.1.3 机械澄清槽安装的允许偏差和检验方法

项次	项目	允许偏差(mm)	检验方法
1	标高	±10.0	水准仪测量
2	槽体纵、横中心线	10.0	经纬仪测量
3	槽体垂直度	$H/1000$	吊线锤、钢尺量
4	上口平面高差	20.0	水准仪测量
5	底板凸凹量	10.0	钢尺量

注:H为设备高度。

29.2 离心分离机

一般项目

29.2.1 离心分离机安装的允许偏差和检验方法应符合表29.2.1的规定。

检查数量：全数检查。

检验方法：应符合表29.2.1的规定。

表29.2.1 离心分离机安装允许偏差和检验方法

项次	项 目	允许偏差(mm)	检验方法
1	纵、横中心线	10.0	经纬仪测量
2	水平度	0.05/1000	水平仪测量
3	标高	±10.0	水准仪测量

29.3 煤气初冷器/终冷器

Ⅰ 主控项目

29.3.1 胀管前管端应退火处理。

检查数量：全数检查。

检验方法：检查退火记录。

29.3.2 胀管完成后按设计文件要求对管侧进行水压试验。当设计无要求时，应符合下列规定：

1 以0.3MPa的压力进行水压试验，5min内压力降不应大于0.05MPa；

2 存在渗水和露珠的胀口数不应超过总胀口数的3%。

检查数量：全数检查。

检验方法：观察并检查记录。

29.3.3 设备安装完毕后，壳侧应按设计文件要求进行气密性试验。

检查数量：全数检查。

检验方法：观察检查，检查记录。

Ⅱ 一般项目

29.3.4 胀管应符合设计文件要求，带管口编号位置图应记录。

检查数量：抽查 10%。

检验方法：钢尺检查，检查编号记录。

29.3.5 胀管率应符合设计文件的要求，当设计无要求时，最终胀管率应为 1.0%～1.9%。

检查数量：抽查 5%。

检验方法：检查胀管记录。

29.3.6 煤气初冷器安装的允许偏差和检验方法应符合表 29.3.6 的规定。

检查数量：全数检查。

检验方法：应符合表 29.3.6 的规定。

表 29.3.6 煤气初冷器的允许偏差和检验方法

项次	项目	允许偏差(mm)	检验方法
1	纵、横中心线	10.0	吊线锤、钢尺量
2	标高	±10.0	水准仪测量
3	立管式设备垂直度	$H/1000$	吊线锤、钢尺量
4	横管式设备垂直度	$0.5H/1000$	吊线锤、钢尺量

注：H 为设备高度。

29.4 电捕焦油器

Ⅰ 主控项目

29.4.1 设备顶部绝缘箱外套的水压试验应符合设计及设备技术文件的要求。

检查数量：全数检查。

检验方法：观察并检查试压记录。

29.4.2 设备本体安装完成后应按设计文件要求进行严密性试

验;当设计无要求时,应符合本规范附录 F 的规定。

检查数量:全数检查。

检验方法:观察并检查记录。

Ⅱ 一 般 项 目

29.4.3 电捕焦油器安装的允许偏差和检验方法应符合表 29.4.3 的规定。

检查数量:全数检查。

检验方法:应符合 29.4.3 的规定。

表 29.4.3 电捕焦油器安装的允许偏差和检验方法

项次	项　　目	允许偏差(mm)	检验方法
1	纵、横中心线	10.0	经纬仪测量
2	标高	±10.0	水准仪测量
3	壳体垂直度	$H/1000$	吊线锤、钢尺量
4	放电极与沉淀极管上、下端中心距	±8.0	吊线锤、钢尺量
5	沉淀极管和管组垂直度	$L/1000$ 且≤5.0	吊线锤、钢尺量
6	格栅板支架水平度	$3L_1/1000$	U 型管水平仪测量
7	上部支承架同管板的间距	±10	钢尺量

注:H 为设备高度;L 为管组长度;L_1 为支架长度。

29.5 饱 和 器

Ⅰ 主 控 项 目

29.5.1 饱和器外壳安装完毕后,严密性试验应符合设计文件要求。当设计无要求时,应符合本规范附录 F 的规定。

检查数量:全数检查。

检验方法:观察检查,检查记录。

Ⅱ 一 般 项 目

29.5.2 饱和器安装的允许偏差和检验方法应符合表 29.5.2 的规定。

检查数量:全数检查。

检验方法:应符合表 29.5.2 的规定。

表 29.5.2 饱和器安装的允许偏差及检验方法

项次	项 目	允许偏差(mm)	检验方法
1	标高	±10.0	水准仪测量
2	纵、横中心线	10.0	经纬仪测量
3	水平度	1.0/1000	水平仪测量
4	垂直度	$H/1000$	吊线锤、钢尺量

注:H 为设备高度。

29.6 萘结片机

一 般 项 目

29.6.1 萘结片机安装的允许偏差和检验方法应符合表 29.6.1 的规定。

检查数量:全数检查。

检验方法:应符合表 29.6.1 的规定。

表 29.6.1 萘结片机安装的允许偏差和检验方法

项次	项 目	允许偏差(mm)	检验方法
1	纵、横中心线	5.0	经纬仪
2	水平度	1.0/1000	水平仪
3	标高	±10.0	水准仪

29.7 装 料 臂

一 般 项 目

29.7.1 装料臂严密性试验应符合设计要求。

检查数量:全数检查。

检验方法:观察检查,检查记录。

29.7.2 装料臂角操作度调整的允许偏差为 15.0mm~30.0mm。

检查数量:全数检查。

检验方法:测量仪器检查。

30 试运转及焦炉热态工程

30.1 一 般 规 定

30.1.1 设备试运转前应符合下列规定：

1 设备试运转前的安装工程应已结束，并应经检查验收完毕；

2 液压、润滑、冷却、水、气(汽)、电气、仪表控制等附属装置均应按系统检验完毕，并应符合试运转的要求；

3 设备应按规定进行了试运转前的清扫、检查、清洗并加足了规定牌号的润滑油或润滑脂；

4 设备周围环境应彻底清扫，走行、升降、直线往复运动的设备运行道路上的障碍应彻底排除；

5 设备试运转安全措施应设置完毕，安全监护人员应安排到位。

30.1.2 设备的安全保护装置应符合设计规定，其功能应符合设计文件要求。

30.1.3 在试运转中压力继电器、液控安全阀、温度控制器、行程限位开关安全保护装置，必须在试运转中完成调试。

30.1.4 设备单体无负荷试运转应符合下列规定：

1 各机构运转应平稳、准确，灵活；

2 单体试运转时设备的振动、温升、噪声及电机电流值等指标应符合设计和设备技术文件的要求；

3 直线运动设备应无卡阻、蛇行、爬行现象；

4 连续运转时设备技术参数稳定性、可靠性和安全性应符合设计文件要求；

5 连续运转的设备应连续运转 2h~4h；往复运动的设备应

在全行程或回转范围内往返5次～10次。

30.1.5 设备无负荷联动试运转应符合下列规定:

1 设备无负荷联动试运转应按设计规定的联动程序进行或模拟操作运转3次,运转中不得出现故障,每次运转时间不宜超过0.5h;

2 设备无负荷联动运转速度、停置精度、衔接设备位置,机电连锁的可靠性应符合设计文件要求。

30.2 焦炉附属设备及交换传动装置

30.2.1 交换传动装置试运转应符合下列规定:

1 交换机应空负荷运转4h合格;

2 交换传动装置在烘炉炉温达450℃以前,应连续48h试运转。

3 交换传动装置在由烘炉管道加热改为正常加热前应在生产配合下再进行一次调整,调整后应符合下列规定:
 1) 交换传动拉条行程应符合设计文件要求;
 2) 废气开闭器的煤气砣、废气砣及空气盖的起落高度应符合设计文件要求;
 3) 废气砣杆、煤气砣杆与密封法兰应无过紧现象;
 4) 链轮、拉条运转灵活,链轮托架应牢固可靠;
 5) 拉条滑块在扳手的长口中滑动应灵活,无卡阻现象;
 6) 运转过程中,旋塞应在全开或全闭位置。

30.2.2 炉门修理站及余煤提升装置试运转应符合下列规定:

1 炉门起落架应往返5次,并应符合下列规定:
 1) 卷扬机应无异常声音;
 2) 钢绳头结扎应牢固,钢绳不跳槽;
 3) 各轮子转动应灵活,小车不卡轨;
 4) 起落架升降应平稳,定位应准确。

2 余煤提升装置应连续运转1h,并应符合下列规定:

1）定位准确,制动和运转中应无异常噪声;

2）提升斗与滑轨间应无卡阻现象;

3）钢丝绳头应无松动、钢丝绳不跳槽;

4）提升斗运行应平稳,可靠。

30.2.3 煤塔放煤漏嘴及皮带机试运转应符合下列规定:

 1 放煤装置应经过连续 5 次开、闭运转,放煤皮带机应经过 1h 连续运转,并应符合下列规定:

1）漏嘴开闭灵活,无卡碰现象,关闭应严密;

2）皮带机不跑边,无异常噪声,闸板开关应灵活。

30.3 移 动 机 械

30.3.1 移动机械试运转应符合下列规定:

 1 车体机构应按先低速、后中速、再高速做往复运行。转动应灵活,车轮不应卡轨、悬空,制动应可靠,停车应平稳,定位应准确;

 2 各装置单独手动、自动运转符合要求后,应按设备技术文件要求进行整机连锁控制程序试运转,确认连锁动作、信号;

 3 各机构运行应平稳、准确,活动部位应转动灵活;

 4 各单机试运转合格后,应按设备技术文件要求,移动机械联动试运转 5 次。

30.3.2 推焦机试运转应符合下列规定:

 1 推焦机试运转前应检查下列各装置锁定机构,并应确认其机构锁定的可靠性:

1）走行驱动装置;

2）摘门装置;

3）炉门框清扫装置;

4）炉门清扫装置;

5）推焦装置;

6）平煤装置;

7）小炉门清扫装置；

　　8）尾焦收集装置。

　2　推焦机试运转时，应检查下列各装置单体试运转情况，并应确认运转正常：

　　1）走行驱动手动及自动；

　　2）摘门手动及自动；

　　3）炉门框清扫手动及自动；

　　4）炉门清扫手动及自动；

　　5）推焦手动及自动；

　　6）平煤手动及自动；

　　7）小炉门清扫手动及自动；

　　8）尾焦收集手动及自动。

　3　推焦机应按低、中、高速各往复运行3次。

　4　摘门装置应先做模拟试验5次，无误后再进行摘门负荷试验。

　5　炉门清扫装置应先做模拟试验5次，无误后再进行清扫负荷试验。刮刀的弹簧压缩量应均匀，刮刀与炉门刀边及炉门砖应无碰撞及卡阻现象。

　6　炉门框清扫装置以及小炉门清扫装置应先做模拟试验5次，无误后再进行清扫负荷试验。刮刀的高度与炉门框（小炉门）应上下一致，四周弹簧压缩应均匀。

　7　推焦杆应按推焦全行程做5次往复模拟生产运转。动作应平稳，齿条与齿轮啮合应正确，制动及限位开关应灵敏可靠。

　8　平煤杆应按平煤全行程做5次模拟生产运转。动作应平稳，制动及限位开关应灵敏可靠。

　9　尾焦收集装置应做5次模拟生产运转。

30.3.3　拦焦机试运转应符合下列规定：

　1　拦焦车试运转前，应检查下列各装置锁定机构，并应确认锁定的可靠性：

1）走行驱动装置；

2）摘门装置；

3）炉门框清扫装置；

4）炉门清扫装置；

5）导焦栅；

6）集尘装置；

7）平台清扫装置；

8）尾焦收集装置。

2 拦焦试运转时，应检查下列各装置单体试运转情况，并应确认运转正常：

1）走行驱动手动及自动；

2）摘门手动及自动；

3）炉门框清扫手动及自动；

4）炉门清扫手动及自动；

5）导焦手动及自动；

6）集尘手动及自动；

7）平台清扫手动及自动；

8）尾焦取焦手动及自动。

3 摘门装置应先做模拟试验 5 次，无误后再进行摘门负荷试验。

4 炉门清扫装置应先做模拟试验 5 次，无误后再进行清扫负荷试验。刮刀的弹簧压缩量应均匀，刮刀与炉门刀边及炉门砖应无碰撞及卡阻现象。

5 炉门框清扫装置以及小炉门清扫装置应先做模拟试验 5 次，无误后再进行清扫负荷试验，刮刀的高度与炉门框（小炉门）应上下一致，四周弹簧压缩应均匀。

6 平台清扫装置应先模拟生产做 5 次动作，再进行清扫负荷试验。

7 导焦栅应按导焦全行程做 5 次往复模拟生产运转。

8　集尘装置应模拟生产做 5 次运转。

　　9　尾焦收焦装置应做 5 次模拟生产运转。

30.3.4　顶装煤装煤车试运转应符合下列规定：

　　1　装煤车试运转前，应检查下列各装置锁定机构，并应确认锁定的可靠性：

　　　　1）走行驱动装置；

　　　　2）下料装置；

　　　　3）揭盖机构；

　　　　4）氨水交换开闭机构；

　　　　5）集尘装置；

　　　　6）平台清扫机构。

　　2　顶装煤车试运转时，应检查下列各装置单体试运转情况，并应确认运转正常：

　　　　1）走行驱动手动及自动；

　　　　2）装料口下料手动及自动；

　　　　3）装料口揭盖手动及自动；

　　　　4）集尘用活动接口及相应板阀开闭手动与自动；

　　　　5）氨水交换开闭手动与自动；

　　　　6）平台清扫手动与自动。

　　3　装煤口下料装置应按程序运行 5 次，动作协调一致，准确可靠后，再进行停电状态下的应急试验，其全部动作应符合设备技术文件的要求。

　　4　装煤口揭盖装置应先做模拟试验 5 次，无误后再进行揭盖负荷试验。各机构动作应协调一致，运行应平稳灵活，准确可靠。

　　5　氨水交换开闭机构应试验 5 次。

　　6　除尘用活动接口及相应的板阀开闭做往复动作 5 次，应对位准确，封闭应良好，运行应平稳。

30.3.5　捣固机试运转应符合下列规定：

　　1　捣固机试运转前应检查下列各装置锁定机构，并应确认其机构锁定的可靠性：

　　1）停锤装置；

　　2）提锤传动装置；

　　3）安全挡装置。

　　2　捣固机试运转时，应检查下列各装置单体试运转情况，并应确认运转正常：

　　1）停锤装置手动及自动；

　　2）提锤传动装置手动及自动；

　　3）安全挡装置手动及自动。

　　3　捣固机应在固定捣固锤的前提下，模拟试运转 5 次，无异常现象，然后进行捣固试验，捣固试验应运行 5 次以上，无异常现象方可投入生产。

30.3.6　侧装煤装煤车试运转应符合下列规定：

　　1　侧装煤装煤车试运转前，应检查下列各装置锁定机构，并应确定锁定的可靠性：

　　1）走行装置；

　　2）装煤装置；

　　3）装煤密封框装置；

　　4）除尘装置。

　　2　侧装煤装煤车试运转时，应检查各装置单体试运转情况，并应确认运转正常：

　　1）走行驱动手动及自动；

　　2）装煤装置手动及自动；

　　3）装煤密封框装置手动及自动；

　　4）除尘装置手动及自动。

　　3　装煤车应按低、中、高速各往复运行 3 次。

　　4　装煤装置应按装煤底板全行程做 5 次往复模拟生产运转。动作应平稳，链轮与链条啮合应正确，制动及限位开关应灵敏可靠。

5 装煤密封框装置应模拟试验5次,无误后再进行负荷试验。

30.3.7 U型管导烟车试运转应符合下列规定:

　　1 U型管导烟车试运转前,应检查下列各装置锁定机构,并应确定锁定的可靠性:

　　　　1)走行装置;

　　　　2)U型管装置;

　　　　3)机侧导套装置;

　　　　4)氨水转换装置;

　　　　5)上升管开闭装置。

　　2 U型管导烟车试运转时,应检查各装置单体试运转情况,并应确认下列装置不同状态下运转正常:

　　　　1)走行装置手动及自动;

　　　　2)U型管装置手动及自动;

　　　　3)机侧导套装置手动及自动;

　　　　4)氨水转换装置手动及自动。

　　3 导烟车应按低、中、高速各往复运行3次。

　　4 U型管装置应模拟实验5次,动作应平稳无误。然后进行负荷试验。

　　5 机侧导套应模拟实验5次,无误后进行负荷试验。

　　6 氨水转换装置试验5次,无误后进行负荷试验。

30.3.8 电机车、焦罐车试运转应符合下列规定:

　　1 电机车、焦罐车的安装应符合设计文件要求。

　　2 电机车、焦罐车车轮不应卡轨,悬空,制动应平稳,定位应可靠。

　　3 焦罐旋转定位应准确、可靠。

30.4　干熄焦装置

30.4.1 装入、排出系统试运转应符合下列规定:

1 焦罐车与干熄焦装置衔接的相关尺寸应符合设计文件的要求；

2 横移牵引装置的引入和押出的速度调整应符合设计文件的要求；

3 提升机的走行和卷上（卷下）速度调整应符合设计文件的要求；

4 提升机的荷重试验应符合设计、设备技术文件要求，并应符合现行国家标准《起重设备安装工程施工及验收规范》GB 50278 的有关规定；

5 装入装置的开闭速度应符合设计文件的要求；

6 装入装置与提升机联动时，空焦罐的落放、提升，动作应准确、平稳、可靠；

7 排出装置旋转密封阀动作应灵活，无卡滞及碰阻现象；

8 振动给料机应按设计技术条件运行 4h 以上，无异常振动及声响。

30.4.2 气体循环系统试运转应符合下列规定：

1 循环风机的试运转应符合设计、设备技术文件要求，并应符合现行国家标准《风机、压缩机、泵安装工程施工及验收规范》GB 50275 的有关规定；

2 干熄焦全部气体循环系统应做气密性试验，在 3500Pa～4000Pa 的压力下，检查焊缝及密封处无漏风现象为合格。

30.5 煤气净化及化产品回收装置

30.5.1 煤气净化及化产品回收装置试运转应符合下列规定：

1 组成水运转的回路应符合设计及工艺要求，禁水管道及设备用临时管道连接，与设备断开；

2 试运转过程中，设备、管道密封不应渗漏；

3 水运转时间不应少于 6h，设备运转应正常，无异常振动及声响；

4 水运转过程中,仪表应灵敏准确、功能正常,符合设计规定;

5 通用设备试运转应符合设计、设备技术文件要求,并应符合现行国家标准《机械设备安装工程施工及验收通用规范》GB 50231 和《风机、压缩机、泵安装工程施工及验收规范》GB 50275 的有关规定。

30.6 焦炉热态工程

30.6.1 装煤车、导烟车、拦焦机焦炉炉体段轨道标高应在烘炉后期进行调整,应于烘炉温度 650℃ 以后调整固定,并应与端台、间台部分轨道进行平滑连接。接轨处两轨道中心线错位应小于 2.0mm。

30.6.2 烘炉前炉柱地脚螺栓应拧松。

30.6.3 烘炉结束后,烘炉前松开的集气管及集气管操作平台的连接螺栓应紧固。

30.6.4 Π形管与吸气管及焦油盒应在烘炉温度 650℃ 以后连接。

30.6.5 放散管的安装及点火试验在烘炉温度 750℃ 时进行,并应符合设计要求。

30.6.6 炉顶上升管的氨水喷管应在烘炉温度 650℃ 以上接点。

30.6.7 炉顶上升管水封盖给排水管道应在烘炉温度 650℃ 以上接点。

30.6.8 上升管与桥管应在烘炉温度 650℃ 前临时连接,烘炉温度达到 650℃ 以后,调整桥管与水封阀承接口处的四面间隙应均匀,无卡阻现象后再正式固定。

30.6.9 水封阀应在烘炉温度 650℃ 以后按设计文件要求密封。

30.6.10 炉体热膨胀结束应对上升管进行调整,上升管底部四周与砌体间隙均匀;密封填料应塞紧,并应用耐火砂浆抹至平滑、严密。

30.6.11 炉门门闩和刀边及各种螺栓应按设计文件要求在烘炉前及烘炉后期分别进行调整。

30.6.12 废气交换开闭器的密封填料应在烘炉结束时塞紧。

30.6.13 废气交换开闭器应在烘炉结束时保温。

30.6.14 废气交换开闭器保温材质和厚度应符合设计文件要求，外壳应平滑。

31 安全及环保

31.1 一般规定

31.1.1 焦化机械设备安装应符合环境保护、劳动保护和安全文明的要求,并应建立、健全安全生产责任制,制定完备的安全生产规章制度和操作规程,制定环境保护管理制度。

31.1.2 施工单位应为作业人员提供符合国家标准或行业标准要求的合格劳动保护用品,并应培训和监督作业人员正确使用。

31.1.3 高空作业应符合现行行业标准《建筑施工高处作业安全技术规范》JGJ 80 的有关规定。

31.1.4 脚手架的搭拆应符合现行行业标准《建筑施工扣件式钢管脚手架安全技术规范》JGJ 130 和《建筑施工碗扣式钢管脚手架安全技术规范》JGJ 166 的有关规定。

31.1.5 施工现场应有专业人员负责安装、维护和管理用电设备和线路。

31.1.6 起重机械的使用应符合现行行业标准《建筑施工起重吊装工程安全技术规范》JGJ 276 的有关规定。

31.1.7 施工现场的临时用电应符合现行行业标准《施工现场临时用电安全技术规范》JGJ 46 的有关规定。

31.1.8 施工区域的洞口、边缘、上下临时通道应有安全围栏。

31.1.9 进入施工现场的人员应按要求穿戴劳动防护用品。

31.1.10 高处临时操作平台应设置牢固,并应有围栏。

31.1.11 设备吊装时应在设备的吊点位置捆扎吊索,并应按要求进行捆扎。

31.1.12 设备的活动部件在吊装时应固定。

31.1.13 电动工具使用前应进行绝缘检测,其电源应符合本工具的技术要求。

31.1.14 吊装区域应设置安全警戒线,非作业人员不得入内。

31.1.15 大件设备的运输道路和放置场地、吊车站位处应满足承载要求。

31.1.16 高空焊接和气割作业时,应设监护人监护,清除作业区域内危险易燃物,并应采取防火措施。

31.1.17 立体作业区域应设置安全围栏,并应有安全警示标识,非作业人员不得进入。

31.1.18 油漆、油品应设专用场所妥善保管,涂装及使用人员应配备防护用品。

31.1.19 管道系统压力试验及吹扫应设置禁区。管道系统升压应按规定程序实施,并应设专人监视压力表和开闭气源阀门。管道系统卸压、吹扫排气应朝向无人区,不得对着设备、人员、道路和出入口。

31.1.20 设备试运转前,应对场地进行全面的安全检查,参加试运转的人员应佩戴试车专用证件。

31.1.21 试运转区域应设置安全标志和警戒标志,无关人员不得进入试车区域。

31.1.22 试运转区域不得吸烟,需要动火时应按规定办理动火证明和采取动火的安全防护措施。

31.1.23 试运转应方案规定操作,不得随意操作开关、阀门等控制件。

31.1.24 易燃材料的衬里结构和管道实施焊接作业时,应采取防火措施。

31.1.25 施工期间应控制和降低施工机械和运输车辆造成的噪声污染,合理安排施工时间,减少对周边环境的影响。

31.1.26 不得在施工现场焚烧会产生有毒有害气体、烟尘、臭气的物质,施工区域应保持清洁。

31.1.27 现场油漆涂装施工时,应采取防污染措施。

31.1.28 工程废料、废酸及废油应分类存放,及时集运至指定的地点,不应造成污染。

31.1.29 对有害物质和施工废水进行处理,不得直接排放。

31.1.30 施工区域应及时进行清理。

31.1.31 安装的设备应按规定采取措施保护,杂物不得污染设备。

附录 A 焦化机械设备安装分部分项划分表

表 A 焦化机械设备分部分项划分表

序号	单位工程	分部工程	分项工程
1	原料装置		
1.1		堆、取料机	走行轮及走行平衡器,回转装置,电缆卷筒,皮带机,平衡锤,锚固锁紧器等
1.2		煤调湿	给料螺旋,干燥机筒体,干燥机支承轮,出料螺旋,润滑系统,进出料密封等
2	焦炉设备		
2.1		焦炉护炉铁件及操作平台	炉柱,小炉柱,保护板,炉门框及磨板,炉门,纵、横拉条,机侧和焦侧平台等
2.2		焦炉炉下加热及交换装置	煤气主管,(分配、水平)支管,下喷管,调节旋塞,交换旋塞和孔板盒,废气交换开闭器,煤气交换机,交换传动机构,烟道闸板阀,烟道弯管等
2.3		焦炉炉顶设备	集气管及氨水管,上升管,桥管,拦焦、装煤除尘导管等
2.4		焦炉附属设备	炉门修理站,推焦杆和平煤杆试验、更换站设备,配煤装置,装煤称量装置,推焦机轨道,拦焦机轨道,装煤车轨道,电机车轨道,余煤提升装置,摇动给料机,煤饼试验台等
3	移动机械		
3.1		推焦机	走行装置,机体钢构架,推焦装置,摘门装置,炉门框清扫装置,炉门清扫装置,平煤装置,小炉门清扫装置,机侧除尘装置等

续表 A

序号	单位工程	分部工程	分项工程
3.2		拦焦机	走行装置,机体钢构架,导焦栅,摘门装置,炉门框清扫装置,炉门清扫装置,拦焦除尘装置等
3.3		顶装煤装煤车	走行装置,机体钢构架,煤斗,下料装置,揭盖装置,氨水转换及上升管盖开闭机构,装煤除尘装置等
3.4		捣固机	安全挡装置,导向板装置,提锤传动装置,停锤装置,捣固锤,机体钢构架等
3.5		U型管导烟车	走行装置,机体钢构架,U型管装置,氨水转换装置及上升管盖开闭机构等
3.6		侧装煤装煤车	走行装置,机体钢构架,密封框装置,装煤装置,除尘装置等
3.7		电机车、焦罐车	电机车,焦罐车等
4	干熄焦装置及余热锅炉		
4.1		干熄焦工艺钢结构及轨道	熄焦槽钢结构,提升机轨道,提升井架导轨,检修吊车轨道,提升机电缆导架,一次除尘器钢结构,二次除尘器钢结构,给水预热器钢结构等
4.2		干熄焦熄焦槽	壳体,供气装置等
4.3		干熄焦装入、排出系统机械设备	对位装置,横移牵引装置,提升机,装入装置,排出装置等
4.4		干熄焦气体循环系统机械设备	一次除尘器,二次除尘器,循环风机,给水预热器等

续表 A

序号	单位工程	分部工程	分项工程
4.5		干熄焦辅助设备	电梯筒,电梯(驱动主机、门系统、导轨、轿厢及对重、安全部件、悬挂装置、随行电缆、补偿装置、电气装置),检修吊车等
4.6		干熄焦余热锅炉设备	锅炉钢架,锅筒,集箱,水冷壁,过热器,蒸发器,省煤器,循环泵,连续排污膨胀器,定期排污膨胀器,除盐水槽,除氧器等
5	煤气净化及回收装置		
5.1		冷凝鼓风装置设备	气液分离器,初冷却器,电捕焦油器,煤气鼓风机,机械澄清器,循环氨水槽,剩余氨水槽,焦油中间槽,焦油储槽等
5.2		脱硫装置设备	脱硫塔,再生塔,脱硫液封槽,硫泡沫槽,熔硫釜,溶液缓冲槽,溶液循环槽,溶液换热器等
5.3		硫铵装置设备	煤气预热器,饱和器,母液槽,结晶器,离心机,螺旋输送机,干燥机,旋风除尘器,热风器,送风机,放料槽,水浴除尘器等
5.4		无水氨装置设备	吸收塔,吸收塔部件安装,氨吸收塔,氨吸收塔现场焊接,氨解吸塔氨吸收塔部件,氨精馏塔,氨精馏塔部件,氨贫液冷却器,氨贫富液换热器,氨解吸塔冷凝冷却器,氨精馏塔,冷凝冷却器等
5.5		终冷洗苯装置设备	轻油吸收塔、轻油吸收塔组装、轻油吸收塔现场焊接、终冷塔、终冷塔组装、终冷塔现场焊接等

续表 A

序号	单位工程	分部工程	分项工程
6	化产品装置		
6.1		粗苯蒸馏装置	油气换热器、轻苯冷凝冷却器安装贫富油换热器安装贫油一段冷却器、贫油二段冷却器、富油槽、轻苯中间槽、精重苯槽、洗萘槽、残渣槽、轻苯回流槽、控制分离器
6.2		硫酸制造装置设备	冷凝液收集罐、事故收集罐、MEA储罐、残液收集罐、残液中间罐、MEA中间罐
6.3		苯加氢装置设备	循环气体压缩机、补充气体压缩机、粗苯泵、稳定塔回流泵、残液塔底泵、残液塔真空泵机组、蒸发塔、稳定塔、残液塔、预蒸发器、蒸发器重沸器、主反应器换热器、主反应器、粗苯缓冲槽、高压分离器、残液塔回流槽、稳定塔回流槽、预蒸馏塔、加氢油预热器、预蒸馏塔顶冷凝器、汽提塔回流槽、萃取蒸馏塔、汽提塔、BT分离塔、BT馏分预热器、贫溶剂冷却器、萃取蒸馏塔顶冷凝器、萃取蒸馏塔原料槽
7	煤焦油深加工装置		
7.1		焦油原料槽区	焦油泵、焦油、炭黑油装船泵、焦油循环泵、炭黑油装车泵、焦油输送泵、原料槽区放空泵、焦油原料槽搅拌器、焦油原料槽、酚水槽、原料槽区放空油槽、清洗油槽、洗油冷却器
7.2		焦油成品槽区	炭黑油泵、工业萘泵、甲基萘油泵、粗酚泵、KT油泵、脱酚酚油泵、炭黑油槽搅拌器、炭黑油槽、工业萘槽、甲基萘油槽、洗油槽、粗酚槽、KT油槽、脱酚酚油槽、清洗油槽、洗油冷却器
7.3		装卸车装置	粗酚汽车装料臂、工业萘汽车装料臂、甲基萘油/洗油汽车装料臂、焦油汽车卸车泵、焦油汽车卸车槽

续表 A

序号	单位工程	分部工程	分项工程
7.4		焦油萘蒸馏装置	主塔回流泵、主塔底油抽出泵、脱水塔、主塔、脱水塔重沸器、炭黑油/焦油换热器、主塔回流槽、萘油脱酚泵、初馏塔、精馏塔、初馏塔第一凝缩器、精馏塔回流槽、萘油馏分槽
7.5		馏分洗涤及酚盐分解装置	脱油塔馏出油泵、净酚盐泵、脱油塔、分离塔、酚钠分解冷却器、中性酚钠槽、净酚钠槽、浓硫酸卸车槽、轻洗塔、酚油抽提塔、脱酚轻油冷却器、脱酚萘油中间槽、浓碱槽、浓碱卸车槽

附录 B 焦化机械设备安装分项工程质量验收记录

表 B _____ 分项工程质量验收记录

单位工程名称			分部工程名称		
施工单位			项目经理		
监理单位			项目总监理工程师		
分包单位			分包项目经理		
执行标准名称及编号					
检查项目			质量验收规范规定允许偏差(mm)	施工单位检查结果	监理/建设单位验收结果
主控项目	1				
	2				
	3				
一般项目	1				
	2				
	3				
	4				
	5				
	6				
施工单位检验评定结果			专业技术负责人： 年 月 日		质量检查员： 年 月 日
监理/建设单位验收结论			监理工程师/建设单位项目技术负责人： 年 月 日		

附录C 焦化机械设备安装分部工程质量验收记录

表 C _____ 分部工程质量验收记录

单位工程名称				
施工单位			分包单位	
序号	分项工程名称	施工单位检查评定		监理/建设单位验收意见
设备单体无负荷联动试车				
质量控制资料				

验收单位	施工单位	项目经理： 年 月 日	项目技术负责人： 年 月 日	项目质量负责人： 年 月 日
	分包单位	项目经理： 年 月 日	项目技术负责人： 年 月 日	项目质量负责人： 年 月 日
	监理/建设单位	总监理工程师/建设单位项目技术负责人： 年 月 日		

附录 D 焦化机械设备工程安装单位工程质量验收记录

D.0.1 焦化机械设备单位工程质量验收应按表 D.0.1 进行记录。

表 D.0.1 单位工程质量验收记录

单位工程名称				
施工单位		技术负责人		开工日期
项目经理		项目技术负责人		交工日期
序号	项目	验收记录		验收结论
1	分部工程	共 分部,经查 分部,符合规范及设计文件要求 分部		
2	质量控制资料	共 项,经审查符合要求 项		
3	观感质量	共抽查 项,符合要求 项,不符合要求 项		
4	综合验收结论			
参加验收单位	建设单位	监理单位	施工单位	设计单位
	（公章）	（公章）	（公章）	（公章）
	单位/项目负责人　　年 月 日	总监理工程师　　年 月 日	单位/项目负责人　　年 月 日	单位/项目负责人　　年 月 日

D.0.2 单位工程质量控制资料核查应按表D.0.2进行记录。

表 D.0.2 单位工程质量控制资料核查记录

单位工程名称			施工单位	
序号	资料名称	份数	核查意见	核查人
1	图纸会审			
2	设计变更			
3	竣工图			
4	洽谈记录			
5	设备基础中间交接记录			
6	设备基础沉降记录			
7	设备基准线、基准点测量记录			
8	设备、构件、原材料质量合格证明文件			
9	焊工合格证编号一览表			
10	隐蔽工程验收记录			
11	焊接质量检验记录			
12	设备、管道吹扫、冲洗记录			
13	设备、管道压力试验、严密性试验记录			
14	通氧设备、管路脱脂记录			
15	设备安全装置检测报告			
16	设备无负荷试运转记录			
17	分项工程质量验收记录			
18	分部工程质量验收记录			
19	单位工程观感质量检查记录			
20	工程质量事故处理记录			
结论:				
施工单位项目经理: 年 月 日			总监理工程师/建设单位项目负责人: 年 月 日	

D.0.3 单位工程观感质量验收应按表 D.0.3 进行记录。

表 D.0.3 单位工程观感质量验收记录

工程名称										施工单位					
序号	项目	抽查质量状况												质量评价	
														合格	不合格
1	螺栓连接														
2	密封状况														
3	管道敷设														
4	隔声与绝热材料														
5	油漆涂刷														
6	走台、梯子、栏杆														
7	焊缝														
8	切口														
9	成品保护														
10	文明施工														

观感质量综合评价	质量检查员： 年 月 日 施工单位项目经理： 年 月 日	专业监理工程师： 年 月 日 总监理工程师/ 建设单位项目负责人： 年 月 日

附录 E 焦化机械设备工程设备无负荷试运转记录

E.0.1 设备单体无负荷试运转应按表 E.0.1 进行记录。

表 E.0.1 设备单体无负荷试运转记录

单位工程名称		分部工程名称		分项工程名称	
施工单位				项目经理	
监理单位				总监理工程师	
分包单位				分包项目经理	
序号	试运转检查项目		试运转情况		试运转结果
评定意见					
质量检查员： 年 月 日		技术负责人： 年 月 日		项目经理： 年 月 日	
监理工程师/建设单位项目技术负责人： 年 月 日					

E.0.2 设备无负荷联动试运转应按表E.0.2进行记录。

表 E.0.2 设备无负荷联动试运转记录

单位工程名称			
施工单位		项目经理	
监理单位		总监理工程师	
分包单位		分包项目经理	
试运转项目	试运转情况		试运转结果
评定意见:	项目经理: 年 月 日	技术负责人: 年 月 日	质量检查员: 年 月 日
	监理工程师/建设单位项目专业技术负责人: 年 月 日		

附录 F 承压设备的压力试验

表 F 承压设备压力试验的压力和稳压、停压时间、检查方法及标准　　　　单位:min

试验方法	试验压力 P_T	试验时间		检查方法	检查标准
		试验压力时稳压时间	工作压力时停压时间		
气压法	1.15 倍工作压力	10	根据需要	涂抹发泡剂或显示剂	不泄漏
液压法	1.25 倍工作压力	10	30	观察	压力不降无渗漏

本规范用词说明

1 为便于在执行本规范条文时区别对待,对要求严格程度不同的用词说明如下:
　　1)表示很严格,非这样做不可的:
　　　正面词采用"必须",反面词采用"严禁";
　　2)表示严格,在正常情况下均应这样做的:
　　　正面词采用"应",反面词采用"不应"或"不得";
　　3)表示允许稍有选择,在条件许可时首先应这样做的:
　　　正面词采用"宜",反面词采用"不宜";
　　4)表示有选择,在一定条件下可以这样做的,采用"可"。
2 条文中指明应按其他有关标准执行的写法为:"应符合……的规定"或"应按……执行"。

引用标准名录

《立式圆筒形钢制焊接储罐施工规范》GB 50128
《工业金属管道工程施工质量验收规范》GB 50184
《钢结构工程施工质量验收规范》GB 50205
《工业炉砌筑工程施工及验收规范》GB 50211
《机械设备安装工程施工及验收通用规范》GB 50231
《现场设备、工业管道焊接工程施工规范》GB 50236
《输送设备安装工程施工及验收规范》GB 50270
《风机、压缩机、泵安装工程施工及验收规范》GB 50275
《起重设备安装工程施工及验收规范》GB 50278
《电梯工程施工质量验收规范》GB 50310
《冶金机械液压、滑润和气动设备工程安装验收规范》GB 50387
《冶金除尘设备工程安装与质量验收规范》GB 50566
《现场设备、工业管道焊接工程施工质量验收规范》GB 50683
《压力容器》GB 150
《压力容器封头》GB/T 25198
《施工现场临时用电安全技术规范》JGJ 46
《建筑施工高处作业安全技术规范》JGJ 80
《钢结构高强度螺栓连接技术规程》JGJ 82
《建筑施工扣件式钢管脚手架安全技术规范》JGJ 130
《建筑施工碗扣式钢管脚手架安全技术规范》JGJ 166
《建筑施工起重吊装工程安全技术规范》JGJ 276
《电力建设施工技术规范 第2部分：锅炉机组》DL 5190.2

《电力建设施工质量验收及评价规程 第 2 部分:锅炉机组》DL 5210.2

《承压设备无损检测》NB/T 47013

《安全阀安全技术监察规程》TSG ZF 001

中华人民共和国国家标准

焦化机械设备安装验收规范

GB 50390-2017

条 文 说 明

编 制 说 明

《焦化机械设备安装验收规范》GB 50390—2017,经住房城乡建设部 2017 年 5 月 4 日以第 1542 号公告批准、发布。

本规范是在《焦化机械设备工程安装验收规范》GB 50390—2006 的基础上修订完成。上一版的主编单位是中国第五冶金建设公司,参编单位是冶金工业质量监督总站宝钢监督站。主要起草人是颜钰、李文、陈和平、黄胜军、尚修民、袁正清、何文清、匡礼毅、周青、胡亦明、袁旭东、赵聪。

在编制本规范过程中,编制组认真学习了有关现行国家法律、法规及标准,进行了广泛调查研究,认真总结了多年来焦化机械设备安装质量验收的实践经验,对规范条文反复讨论修改,并广泛征求了有关单位和专家的意见,最后经审查定稿。

在新建的焦化工程中大量采用了环保节能新工艺、新技术,如捣固焦炼焦新技术(6.25m 捣固焦炉)、煤调湿新技术、无烟装煤技术、焦炉自动化炉温控制技术、焦炉推焦装煤自动化控制技术、煤气净化脱硫新技术等,编制组对规范的内容做了相应的增加和完善。

为便于广大设计、施工、科研、学校等单位有关人员在使用本标准时能正确理解和执行条文规定,特按章、节、条顺序编制了本规范的条文说明,对条文规定的目的、依据以及执行中需注意的有关事项进行了说明,还着重对强制性条文的强制性理由做了解释。但是,本条文说明不具备与标准正文同等的法律效力,仅供使用者作为理解和把握标准规定的参考。

目　次

1　总　则 ……………………………………………………… (183)
3　基本规定 …………………………………………………… (184)
4　设备基础、地脚螺栓和垫板 ……………………………… (188)
　4.1　一般规定 ……………………………………………… (188)
　4.2　设备基础 ……………………………………………… (188)
　4.4　垫板 …………………………………………………… (188)
5　设备和材料进场 …………………………………………… (189)
　5.1　一般规定 ……………………………………………… (189)
　5.2　设备 …………………………………………………… (189)
　5.3　材料 …………………………………………………… (189)
6　堆、取料机 ………………………………………………… (190)
　6.2　走行轮及走行平衡梁 ………………………………… (190)
7　煤调湿装置 ………………………………………………… (191)
　7.3　筒体 …………………………………………………… (191)
8　焦炉护炉铁件及操作平台 ………………………………… (192)
　8.1　一般规定 ……………………………………………… (192)
　8.2　炉柱 …………………………………………………… (192)
　8.3　小炉柱 ………………………………………………… (192)
　8.4　保护板 ………………………………………………… (192)
　8.6　炉门 …………………………………………………… (193)
　8.7　纵、横拉条 …………………………………………… (193)
　8.8　机侧和焦侧平台 ……………………………………… (193)
9　焦炉炉下加热及交换装置 ………………………………… (194)
　9.2　煤气主管、分配支管、水平支管、下喷管 ………… (194)

9.5 废气交换开闭器	(194)
10 焦炉炉顶装置	(195)
10.2 集气管及氨水管	(195)
11 焦炉附属设施	(196)
11.4 煤塔装煤称量装置	(196)
11.6 拦焦机轨道	(196)
12 推焦机	(197)
12.1 一般规定	(197)
12.3 机体钢构架	(197)
12.4 推焦装置	(197)
13 拦焦机	(198)
13.1 一般规定	(198)
13.3 机体钢构架	(198)
13.4 导焦栅	(198)
14 顶装煤装煤车	(199)
14.3 机体钢构架	(199)
15 捣固机	(200)
15.1 一般规定	(200)
16 侧装煤装煤车	(201)
16.1 一般规定	(201)
17 U型管导烟车	(202)
17.1 一般规定	(202)
18 电机车、焦罐车	(203)
19 干熄焦工艺钢结构及轨道	(204)
19.1 一般规定	(204)
19.2 工艺钢结构	(204)
19.4 提升井架导轨	(204)
20 干熄焦干熄炉及余热锅炉	(205)
20.1 一般规定	(205)

20.2	干熄炉壳体	(205)
20.3	供气装置	(206)

21 干熄焦装入、排出系统 (207)

21.3	齿条式横移牵引装置	(207)
21.4	钢丝绳式横移牵引装置	(207)
21.6	装入、排出装置	(207)

22 干熄焦气体循环系统 (208)

22.2	一次除尘器	(208)
22.3	二次除尘器	(208)
22.4	给水预热器	(208)

23 干熄焦辅助设备 (209)

23.2	电梯筒	(209)
23.3	除盐水槽	(209)

25 煤气净化及化产品回收板式塔及填料塔 (210)

25.1	一般规定	(210)
25.2	板式塔组装	(210)
25.3	板式塔焊接	(211)
25.4	板式塔安装	(212)
25.6	填料塔组装	(212)
25.7	填料塔焊接	(213)
25.8	填料塔安装	(214)

26 煤气净化及化产品回收容器 (215)

26.1	容器类设备本体组装	(215)
26.2	容器类设备现场焊接	(215)
26.3	容器类设备安装	(216)

27 煤气净化及化产品回收槽罐 (217)

27.1	槽罐	(217)
27.2	槽罐焊接	(218)

28 煤气净化及化产品回收加热器 (219)

28.1	管式加热炉	(219)
29	煤气净化及化产品机械澄清槽、离心分离机	(220)
29.1	机械澄清槽	(220)
29.3	煤气初冷器/终冷器	(220)
29.6	萘结片机	(220)
30	试运转及焦炉热态工程	(221)
30.1	一般规定	(221)
30.4	干熄焦装置	(222)
31	安全及环保	(223)
31.1	一般规定	(223)

1 总 则

1.0.2 本条所指的焦化机械设备主要包括堆、取料机，煤调湿装置，焦炉护炉铁件及操作平台，焦炉炉下加热及交换装置，焦炉炉顶设备，焦炉附属设备，顶装煤装煤车，推焦机，拦焦机，捣固机，侧装煤装煤车，U型管导烟车，电机车、焦罐车，干熄焦工艺钢结构及轨道，干熄焦干熄炉及余热锅炉，干熄焦装入、排出系统机械设备，干熄焦气体循环系统机械设备，干熄焦辅助设备，干熄焦余热锅炉，煤气净化及化产品回收换热器，煤气净化及化产品回收板式塔及填料塔，煤气净化及化产品回收反应器，煤气净化及化产品回收槽罐，煤气净化及化产品回收加热器，煤气净化及化产品回收其他设施。同时对上述机械设备的试运转及焦炉热态工程验收进行了规定。

1.0.3 本条规定了采用的工程技术文件对设备的安装要求应符合本规范的规定。安装质量标准不能低于本规范的规定，主要是设备制造厂的制造精度和对安装的要求不能低于本规范的规定；承包合同引用的规范不能低于本规范的规定。

1.0.4 焦化机械设备工程安装涉及的工程技术及安全环保方面很多，并且焦化机械设备工程安装中除专业设备外，还有液压、气动和润滑设备、起重设备、连续运输设备、除尘设备、通用设备、各类介质管道制作与安装、工艺钢结构制作与安装、防腐、绝热等，因此，焦化机械设备工程安装及验收除应执行本规范外，尚应符合现行国家及行业有关标准的规定。

3 基本规定

3.0.1 焦化机械设备安装是专业性很强的工程施工项目,为保证工程施工质量,本条文规定对从事焦化机械设备工程安装的施工企业进行资质和质量管理内容的检查验收,强调市场准入制度。

3.0.2 施工过程中,经常会遇到需要修改设计的情况,本条文明确规定,施工单位无权修改设计图纸,施工中发现的施工图纸问题,应及时与建设单位和设计单位联系,修改施工图纸要有设计单位的设计变更正式手续。

3.0.4 本条明确了在施工过程中,使用的计量器具是经检测检验机构检验合格的计量器具,超过检定期的计量器具也不能使用。

3.0.5 焦化机械设备工程安装中的焊接质量关系工程的安全使用,焊工是关键因素之一。本条文明确规定从事本工程施焊的焊工,经考试合格,方能在其考试合格项目认可范围内施焊,焊工考试按国家现行行业标准《冶金工程建设焊工考试规程》YB/T 9259或国家现行其他相关焊工考试规程的规定进行。

3.0.7 本条主要是规定专业内部的施工过程中,应按规范的规定的停止点进行工序检查,上道工序安装完成,没有经有关质量检查验收不得进行下道工序的施工,加强工序间的质量控制,防止上道工序质量不合格进行下道工序安装,造成最终质量不合格。比如基础垫铁施工后,未经检查,设备吊装就位,若基础垫铁施工不合格,设备的安装质量就无法保证,在试运转中就会产生振动。

3.0.8 焦化机械设备工程安装中的隐蔽工程主要是指设备的二次灌浆、变速箱的封闭、大型轴承座的封闭等。二次灌浆是在设备安装完成并验收合格后,对基础和设备底座间进行灌浆,二次灌浆应符合设计文件和现行国家标准《机械设备安装工程施工及验收通用规范》GB 50231 的规定。

3.0.9 本条为强制性条文,必须严格执行。焦化机械设备是在高温、多尘、易燃、易爆、有毒和有害的环境中运行,在设备和管道上安装的安全阀对压力有严格要求,超压就会对设备产生破坏,因此安全阀对设备的安全起保护作用。未经检定的安全阀,其压力准确度不能保证,安全阀不能起到安全作用,易引起相关设备破坏,设备内的气(汽)、液就会逸(溢)流到生产环境中,引起燃烧或者产生毒气,造成环境污染、人员伤害和财产损失。

3.0.10 在生产运行中,塔类设备中的气(汽)、液相介质,均为有毒有害或易燃易爆或腐蚀性介质,对塔的强度和密封性能要求较高,故需通过强度和严密性试验对塔体和全部焊缝以及其他密封连接部位进行检验,以确保塔类设备生产运行安全,避免发生生产事故,造成人身伤害和环境污染。

3.0.11 根据现行国家标准《工业安装工程质量检验评定统一标准》GB 50252 的规定,结合焦化工业建设的特点,焦化机械设备安装工程可划分为几个独立的单位工程。本条对单位工程、分部工程及分项工程的划分是针对新建的焦化系统工程,有利于工程管理和质量验收。对于扩建或改建的焦化工程,可对工程划分做切合实际的调整。

3.0.12 分项工程是工程验收的最小单位,是整个工程质量验收的基础。分项工程质量检验的主控项目是保证工程安全和使用功能的决定性项目,要全部符合工程验收规范的规定,不允许有不符合要求的检验结果。同时也应重视一般项目的检验验收。

3.0.14 单位工程的验收除构成单位工程的各分部工程验收合格,质量控制资料完整,设备无负荷联动试运转合格外,还需由参加验收的各方人员共同进行观感质量检查。

3.0.15 观感质量验收,往往难以定量,只能以观察、触摸或简单的量测方法,由个人的主观印象判断为合格、不合格的质量评价,不合格的检查点,应通过返修处理补救。

在焦化机械设备工程安装中,螺栓连接极为普遍,数量很多,工作量大。在一些现行国家规范中,对螺栓连接外露长度有不同的规定,常常成为工程验收的争论点。螺栓连接的长度通常是经设计计算,按规范优选尺寸确定的,外露长度不影响螺栓连接强度,因此,本规范对螺栓连接的螺栓型号、规格及紧固力做出严格要求,而对外露长度不做量的规定,仅在工程观感质量检查时提出螺栓、螺母及垫圈按设计配备齐全,紧固后螺栓应露出螺母或与螺母平齐,外露螺纹无损伤的要求。

3.0.17 工程质量不符合要求,不能保证安全和使用功能,甚至造成经济损失。

3.0.18 本条文规定了工程质量验收的程序和组织,分项工程质量是工程质量的基础,验收前,由施工单位填写"分项工程质量验收记录",并由项目专业质量检验员和项目专业技术负责人(工长)分别在分项工程质量检验记录中相关栏目签字,然后由监理工程师组织验收。

分部工程应由总监理工程师(建设单位项目负责人)组织施工单位的项目负责人和项目技术、质量负责人及有关人员进行验收。

3.0.19 单位工程完成后,施工单位首先要依据质量标准,设计文件等,组织有关人员进行自检,并对检查结果进行评定,符合要求后向建设单位提交工程验收报告和完整的质量控制资料。

3.0.21 单位工程有分包单位施工时,总承包单位应按照承包合同的权利与义务对建设单位负责,分包单位对总承包单位负责,亦应对建设单位负责。分包单位对承建的项目进行检验时,总包单位应参加,检验合格后,分包单位应将工程的有关资料移交总包单位。建设单位组织单位工程质量验收时,分包单位负责人应参加验收。

有备案要求的工程,建设单位应在规定的时间内将工程竣工验收报告和有关文件,报有关行政管理部门备案。

3.0.22 分项工程质量验收记录(本规范附录 B),也可作为自检记录和专检记录。作为自检记录或专检记录时,需有相关质量检查人员签证。

4 设备基础、地脚螺栓和垫板

4.1 一般规定

4.1.1 焦化机械设备的设备基础比较多,并且分散,土建单位在施工设备基础时分区施工,主装置和辅助装置的施工时间也不同,在基础交接时,先施工的基础进行先交接,后续施工的基础后交接,后续施工的基础与前期施工的基础在安装位置的关系上是否符合设计要求进行检查、验收。

4.2 设备基础

Ⅰ 主控项目

4.2.2 设备吊装就位后,设备安装的基础中心线将会被安装的设备挡住,在进行设备安装检测时无法进行检查测量,为了便于施工操作应在设备安装前按设备施工图和测量控制网确定设备安装的基准线。所有设备安装的平面位置和标高,均应以确定的安装基准线为准进行测量。焦炉本体和干熄焦应埋设永久中心线标板和标高基准点,为安装和维修提供可靠的基准。

4.4 垫 板

Ⅱ 一般项目

4.4.3 研磨法在实际施工中应用得比较少,一般在载荷比较轻的小型结构件中采用,在本次修订中仍保留,但不推荐使用。

5 设备和材料进场

5.1 一般规定

5.1.2 设备开箱检验是十分重要的工作,是确认设备是否符合设计要求的重要环节。在开箱时应有建设、监理、施工及厂商等各方代表参加,并应形成检验记录。检验内容主要有:箱号、设备名称、型号、规格、数量、表面质量、有无缺损件、随机文件、备品备件、专用工具、混装箱设备清点分类等。开箱后,应保管好设备不受损伤,并及时安装到位。

5.2 设 备

主 控 项 目

5.2.1 设备到达施工现场,确认设备的制造质量是否符合设计要求,设备要有质量合格证明文件,进口设备应通过国家商检部门的查验,具有商检合格的证明文件。以上文件为复印件时,应注明原件存放处,并有抄件人签字和单位盖章。

5.3 材 料

主 控 项 目

焦化机械设备工程安装中所涉及的原材料、标准件等进场应进行验收,产品质量合格证明文件应全数检查,证明文件为复印件时,应注明原件存放处,并有经办人签字,单位盖章。实物宜按1‰比例且不少于5件进行抽查,验收记录应包括原材料规格,进场数量,用在何处,外观质量等内容。

设计文件或现行国家有关标准要求复验的原材料、标准件,应按要求进行复验。

6 堆、取料机

6.2 走行轮及走行平衡梁

Ⅰ 主控项目

6.2.1 堆、取料机是在轨道上行走的。在安装过程中,需要选取适合的场地先安装一段轨道,然后在这段轨道上组装堆、取料机。为便于区别其他部分的轨道,先安装的一段轨道简称为基准轨道。基准轨道在堆、取料机安装过程中应具有稳定性和可靠性。对在有沉降的地基上安装堆、取料机时应对基准轨道定期做沉降观测,如允许偏差超过本条的规定,应及时调整,可采取在轨道顶面加垫板的方法。

Ⅱ 一般项目

6.2.2 在实际安装过程中检测部位在走行平衡梁上,本次修订时为使安装验收人员准确识别检测部位,故将"走行平衡器"修改为了"走行平衡梁"。

7 煤调湿装置

7.3 筒 体

Ⅱ 一 般 项 目

7.3.3 筒体的供货方式根据运输的实际情况,一般分为整体供货和分段供货现场组装两种形式。

如采用整体供货,在现场不进行组装和焊接,根据设计文件和本规范表7.3.3项次4～6对筒体的长度、周长、椭圆度内容进行检查验收。

如采用分段供货,安装前除对筒体的长度、周长、椭圆度进行检查外,还应重点检查筒体对接口圆周长度偏差、端面不平度、坡口形式及尺寸是否符合图纸或技术文件要求。安装后,应对表7.3.3中所有内容进行检测;现场组装焊接应符合本规范第7.3.2条要求。

8 焦炉护炉铁件及操作平台

8.1 一般规定

8.1.1 本条文明确了焦炉施工的两种施工工艺。第一种施工工艺是传统的先砌筑、后立炉柱的焦炉施工工艺;第二种施工工艺是先立炉柱、后砌筑的焦炉施工新工艺。以下条文,凡未标注类别者,为两类均应执行之标准。

8.2 炉 柱

Ⅰ 主控项目

8.2.1 本条文是新增的控制项目,为了保证炉柱紧贴焦炉砌体,炉床的混凝土边缘不能凸出焦炉砌体。

Ⅱ 一般项目

8.2.5 采用先安装炉柱后砌筑施工工艺的炉柱安装时进行两次检查调整。第一次是在炉床浇注完、炉底砌筑前安装炉柱时的检查调整;第二次是在炉体砌筑到炭化室底,安装保护板前,对炉柱进行的检查调整。

8.2.6 本条文规定小保护板应紧贴焦炉砌体,防止炉体砖在烘炉时膨胀不一致。

8.3 小 炉 柱

Ⅰ 主控项目

8.3.1 本条明确了安装允许偏差的具体数值,便于检查。

8.4 保 护 板

Ⅰ 主控项目

8.4.4 本条文对焦炉砌体与保护板间密封填料的安装进行了严格规定,主要目的是为了保证焦炉的密封性。

Ⅱ 一般项目

8.4.8 项次 3：本条对采用先砌筑后安装炉柱施工工艺的保护板安装精度的允许偏差进行了修改，原规范保护板的间隙大于 5.0mm，只有下限，没有上限，精度无法控制。为了便于精度控制和检查，现修改为保护板的间隙安装精度为 0～+2.0mm。

8.4.10 采用先安装炉柱后砌筑施工工艺的保护板安装是在自由状态下安装，精度高，不存在加压紧固使保护板位置发生变化的情况。

8.6 炉 门

Ⅱ 一般规定

8.6.3 本条明确了炉门刀边与炉门框接触时允许的间隙范围和允许的间隙长度。炉门刀边与炉门框的接触间隙会影响到炭化室的密封性，所以对它的间隙加以控制。

8.7 纵、横拉条

Ⅰ 主控项目

8.7.1 本条文规定弹簧在出厂时给出压缩值，主要是为了在安装弹簧时，确定其在相同压力下弹簧的压缩长度。

8.7.2 本条规定了纵、横拉条的出厂后的局部变形，可以进行调整，满足安装精度和观感要求。

Ⅱ 一般规定

8.7.5 本条增加了上部拉条安装中心的允许偏差，保证拉条的直线性，确保弹簧压缩值的真实性。

8.8 机侧和焦侧平台

Ⅰ 主控项目

8.8.1 机、侧平台按各种不同类型的焦炉上使用不同结构形式。目前国内新建的一些 7.63m 焦炉机、焦侧平台采用了混凝土结构。当采用钢平台时，执行本规范。当采用混凝土平台时，采用相关现行混凝土结构规范。

9 焦炉炉下加热及交换装置

9.2 煤气主管、分配支管、水平支管、下喷管

Ⅱ 一般项目

9.2.7 本条规定了支管与主管的接合处间隙和支管在主管内的插入深度,因为直接影响到支管的焊接质量和主管内的气体流动阻力。

9.5 废气交换开闭器

Ⅰ 主控项目

9.5.2 本条规定了空气盖在关闭时应严密,防止过量的空气进入到烟道内。

10 焦炉炉顶装置

10.2 集气管及氨水管

Ⅰ 主控项目

10.2.3 氨水是有腐蚀性的液体,所以安装时应加强对氨水管道的材质和焊接质量进行控制。

11 焦炉附属设施

11.4 煤塔装煤称量装置

11.4.1 本条是对装煤称量机保护性的控制措施,装煤车在从炉体段返回到煤塔时的速度较快,为了减少对称量机的冲击,对称量机段的轨道接头顶面标高加以控制。

11.6 拦焦机轨道

一般项目

11.6.3 本条是考虑拦焦机有两根轨道且两根轨道全部在焦侧平台上;一根轨道在焦侧平台上,另一根轨道在拦焦除尘支架上;以及拦焦机有三根轨道,其中两根轨道在焦侧平台上、另一根轨道在拦焦除尘支架上这三种情况下炉侧和反炉侧轨道标高面允许偏差值。

12 推 焦 机

12.1 一 般 规 定

12.1.1 根据焦炉炼焦装煤的方式,分为顶装煤和侧装煤两种。焦炉移动机械相应地分为顶装煤移动机械和侧装煤移动机械。从功能上两种装煤的推焦机的作用均为推焦,动作上是取门、推焦、炉门清扫和关闭炉门等主要工序。设备的结构基本类似,在编写时主要以顶装煤推焦机为样板,顶装煤的机构动作比侧装煤还要复杂,因此,侧装煤推焦机的质量验收可参照顶装煤推焦机的标准进行验收。

12.3 机体钢构架

推焦车机体由钢构件组成,散件供货在现场组装。在钢构件上安装机械设备,设备的安装质量要求高,并且要求稳定性好,钢构件安装精度应高于一般钢结构的安装精度,本节对钢构架的安装做出了规定。

12.4 推 焦 装 置

Ⅱ 一 般 项 目

12.4.2 推焦杆是推焦的重要设备,在推焦时推焦杆是在高温的炭化室内运行,推焦杆在进入到炭化室推焦时对推焦杆的运行状况进行试验。推焦试验在推焦试验装置上进行。在做推焦试验时,应对推焦杆的进入炭化室机侧和焦侧炭室端部与炭化室底部间的距离进行检测。

13 拦 焦 机

13.1 一 般 规 定

13.1.1 根据焦炉炼焦装煤的方式,分为顶装煤和侧装煤两种。焦炉移动机械相应地分为顶装煤移动机械和侧装煤移动机械。从功能上两种装煤的拦焦机的作用均为拦焦,动作上是取门、拦焦、炉门清扫和关闭炉门等主要工序。设备的结构基本类似,在编写时主要以顶装煤拦焦机为样板,因此,侧装煤拦焦机的质量验收可参照顶装煤拦焦机的质量验收标准进行验收。

13.3 机体钢构架

拦焦车机体由钢构件组成,散件供货在现场组装。在钢构件上安装机械设备,设备的安装质量要求高,并且要求稳定性好,钢构件安装精度应高于一般钢结构的安装精度,本节对钢构架的安装做出了规定。

13.4 导 焦 栅

导焦栅为钢构件组成,散件供货到现场进行组装,进场的构件应注意验收,以保证安装精度。

14 顶装煤装煤车

14.3 机体钢构架

顶装煤车机体由钢构件组成,散件供货在现场组装。在钢构件上安装机械设备,设备的安装质量要求高,并且要求稳定性好,钢构件安装精度应高于一般钢结构的安装精度,本节对钢构架的安装做出了规定。

15 捣 固 机

15.1 一 般 规 定

15.1.1 本条所指的捣固机包括固定式捣固机和微移动式捣固机。

捣固机的导向板装置、提锤传动装置、停锤装置一般工厂内已装于机体钢构架上,安装现场需复测检查。

16 侧装煤装煤车

16.1 一 般 规 定

16.1.1 侧装煤装煤车是指装煤与推焦的分体车,独立完成装煤作业。本章的装煤装置安装质量验收也适用于侧装煤推焦合体车的装煤装置质量验收。

17 U型管导烟车

17.1 一般规定

17.1.1 炉顶导烟除尘设备分三种,分别为U型管导烟车、燃烧式导烟车、消烟除尘车,本条文适用于U型管导烟车。U型管导烟车是侧装煤捣固焦炉专有设备,用于炉顶装煤时除尘。

18 电机车、焦罐车

原规范中有湿熄焦车,由于湿熄焦工艺已经不符合国家的环保、节能减排要求,因此本次修订取消熄焦车的安装验收条文。

本章所述焦罐车是指干熄焦用的焦罐车,包括常用的圆形焦罐和不常用的方形焦罐。

18.0.5 本条为新增内容。根据现场实践经验,焦罐闸门开闭及提升装置水平度和挂钩销轴间距对整体质量和运行安全影响较大,故增加本条内容。

19 干熄焦工艺钢结构及轨道

19.1 一般规定

19.1.3 根据现场实践检验,干熄焦工艺钢结构重要程度,焊接质量进行分类验收,较原规范更具有操作性。

19.2 工艺钢结构

原规范的名称为熄焦槽钢结构,经调查研究更名为干熄焦工艺钢结构,更为科学。

19.4 提升井架导轨

Ⅰ 一般项目

19.4.1 因焦罐有 X 轴和 Y 轴两个方向导向轮,故提升井架导轨应控制 X 轴和 Y 轴两个方向的垂直度;焦罐上下运动在提升井架导轨中间,故跨距应控制为正偏差;导轨顶部要与提升机上的活动导轨相接,故导轨标高应控制为负偏差。

20 干熄焦干熄炉及余热锅炉

20.1 一般规定

20.1.1 为了方便对本章焊接质量等引用规范的表述,将原规范中第20.1.1条相应条款从一般项目调整到一般规定。

20.1.2 干熄焦余热锅炉是引用规范,为了章节设置表述方便,将原章节删除,干熄焦的核心设备余热锅炉放到本章,并在一般规定中进行表述。

经过查阅大量的干熄焦余热锅炉设计图纸、设计安装说明书均是采用《锅炉安全技术监察规程》TSG G0001—2012和相应电力规范,尤其是目前干熄焦余热锅炉为了提高能源利用效率,正朝着高温高压方向发展(近年新建的武钢干熄焦、宝钢干熄焦、宝钢湛江干熄焦均采用了10.17MPa、540℃的高温高压余热锅炉),虽然干熄焦余热锅炉蒸发量不大,还是引用相应电力规范。

20.2 干熄炉壳体

Ⅰ 一般项目

原规范的名称为熄焦槽,经调查研究更名为干熄炉,更为科学。

20.2.1 干熄炉壳体全高允许偏差为−35.0mm~0,是针对耐火砖托板焊接在干熄焦壳体上这种结构型式,考虑烘炉后热膨胀因素而确定的。目前,有的干熄炉壳体上没有焊接耐火砖托板,耐火砖直接砌筑在基础上,这种结构型式安装时不需要考虑壳体和耐火砖的整体热膨胀因素,其干熄焦壳体全高允许偏差按设计文件要求控制。

20.2.2 因壳体出风口段与相关设备接口联接关系密切,故对其安装精度需严加控制。

20.3 供气装置

Ⅰ 一般项目

20.3.1 因下锥斗出口法兰与相关设备接口,故对其安装精度需严加控制。

风帽固定后,需将纵、横中心线投放在风帽顶部,并做上永久标记,作为干熄炉安装及砌炉的中心基准点。

对于干熄炉壳体上没有焊接耐火砖托板的结构型式,表格20.3.1中项次7关于"上锥斗上口与耐火砖托板间隙C_2"的规定取消。

由于原规范供气装置原图容易造成误解,本次修订对供气装置安装检测图进行了修改。

21 干熄焦装入、排出系统

21.3 齿条式横移牵引装置

Ⅰ 一般项目

21.3.2 本条较原规范增加了牵引小车轨道安装、电动缸安装、焦罐台车轨道安装精度要求。

21.4 钢丝绳式横移牵引装置

原规范未对钢丝绳式横移牵引装置的验收进行规定,故新增了此项内容。

21.6 装入、排出装置

本次规范修订,为了章节设置表述方便,将原规范装入装置、排出装置合并为一节。

Ⅰ 一般项目

21.6.1 此次规范修订,新增加了装入装置安装检测图。

22 干熄焦气体循环系统

22.2 一次除尘器

I 主控项目

22.2.2 根据现场实践检验,干熄焦一次除尘器重要程度,焊接质量进行分类验收,较原规范更具有操作性。

II 一般项目

22.2.3 一次除尘器是熄焦炉和锅炉间的衔接设备,一次除尘器框架安装的中心、标高是保证熄焦炉和锅炉间衔接的关键参数,严格控制。

22.3 二次除尘器

I 主控项目

22.3.2 根据现场实践检验,干熄焦二次除尘器重要程度,焊接质量进行分类验收,较原规范更具有操作性。

II 一般项目

22.3.3 对于多管旋风分离式除尘器只需控制表 22.3.3 中项次 1、2、3。

22.4 给水预热器

近年来,由于给水预热器设备及钢结构已无现场对接焊缝,因此删除了原规范中第 17.4.1 条的表述。

23 干熄焦辅助设备

23.2 电梯筒

Ⅰ 一般项目

23.2.1 原规范电梯筒焊接质量引用《现场设备、工业管道焊接工程施工及验收规范》GB 50236 的Ⅳ级规定。目前该规范已修订为施工和验收规范，因此本次修订采用现行国家标准《现场设备、工业管道焊接工程施工质量验收规范》GB 50683，同时焊缝质量等级规定为三级。

23.3 除盐水槽

Ⅱ 一般项目

23.3.2 原规范除盐水槽焊接质量引用《现场设备、工业管道焊接工程施工及验收规范》GB 50236 的Ⅳ级规定。目前该规范已修订为施工和验收规范，因此本次修订采用现行国家标准《现场设备、工业管道焊接工程施工质量验收规范》GB 50683，同时焊缝质量等级规定为三级。

23.3.3 严密性试验的压力及试验要求首先满足设计文件要求，设计无要求时按本条文执行，便于工程中的实施，本次将负压值 40kPa 修改为 53kPa，与现行国家标准《立式圆筒形钢制焊接储罐施工规范》GB 50128 一致。

25 煤气净化及化产品回收板式塔及填料塔

本章同样适用于除板式塔及填料塔外的壳式塔安装工程的质量验收。

25.1 一般规定

25.1.1 本条规定是防止奥氏体不锈钢设备、钛及钛合金设备、铝及铝合金设备与碳钢、低合金钢接触被铁离子污染。

25.1.2 塔类设备对基础的不均匀沉降要求较高,故规定对基础进行沉降观测。如果土建专业未埋设沉降观测点,安装专业应重新进行埋设。

25.2 板式塔组装

25.2.6 错边量是影响焊接质量的重要因素,同时对设备的使用寿命、安全运行都有密切关系,在施工过程中严格控制。筒体圆度偏差是控制组装质量的重要因素,避免组装过程中的强力组对,产生应力集中。设备组装的直线度直接影响到安装后的垂直度或水平度,在设备组装过程中严格控制,若在现场组装后分段安装,直线度即为分段安装的垂直度。

原规范规定两板不等厚度筒体横焊缝错边量,采用公式计算,由于现塔类设备壁板厚度远远超过 6.0mm,已不适于再用公式计算,结合现有装备制造水平,将错边量规定为小于或等于 4.0mm 具有可操作性。

原规范规定复合钢板筒体焊缝错边量的极限值为 1.5mm,现提高标准,将其错边量的极限值定为 1.0mm,与《现场设备、工业管道焊接工程施工质量验收规范》GB 50683 保持一致。

25.3 板式塔焊接

25.3.2 原规范规定焊缝内部质量要求按标准为《现场设备、工业管道焊接工程施工及验收规范》GB 50236 进行分级,现行行业标准《承压设备无损检测》NB/T 47013 对不同类型的材料和焊缝提出的质量等级评定依据,更具有可操作性,且国内压力容器和压力管道已统一执行该标准,故改为现行行业标准《承压设备无损检测》NB/T 47013,并增加超声波检测方式,与实际执行标准保持一致。

对于对接焊缝质量,设计对重要焊缝无损检测抽检比例一般要求为 10%～25%,对于无设计要求时,原规范检查数量为 20%,抽检比例要求过高,在不降低焊缝质量要求的前提下,抽检比例定为 10%较为合适。

25.3.3 在组装过程中,存在无法避开在焊缝区域开孔的情况,开孔区内焊缝和被加强圈等覆盖的焊缝质量直接影响到设备的使用寿命。本条强调了对开孔区内焊缝和被加强圈等覆盖的焊缝内部质量要求,经无损探伤检查合格后才能进入下道工序。

原规范规定焊缝内部质量要求按标准为《现场设备、工业管道焊接工程施工及验收规范》GB 50236 进行分级,现行行业标准《承压设备无损检测》NB/T 47013 对不同类型的材料和焊缝提出的质量等级评定依据,更具有可操作性,且国内压力容器和压力管道已统一执行该标准,故改为现行行业标准《承压设备无损检测》NB/T 47013,并增加超声波检测方式,与实际执行标准保持一致。

25.3.4 焊后热处理主要防止冷裂纹的产生,热处理的时机和保温时间直接影响热处理效果,因此应在焊后立即进行,并根据材质、壁厚调整热处理时间。

25.3.7 原规范规定焊缝尺寸允许偏差按四级划分检查,现按焊缝外观检查等级调整为Ⅰ、Ⅱ、Ⅲ级,以与《现场设备、工业管道焊接工程施工质量验收规范》GB 50683 保持一致。100%无损检测的焊缝,其外观检查等级为Ⅰ级;局部无损检测的焊缝,其外观检查等级为Ⅱ级;无无损检测的焊缝,其外观检查等级为Ⅲ级。

原规范规定复合钢板焊缝错边量的极限值为 1.5mm,现提高标准,将其错边量的极限值定为 1.0mm,以与《现场设备、工业管道焊接工程施工质量验收规范》GB 50683 保持一致。

25.4 板式塔安装

25.4.1 塔垫板未超过塔体壁板,可能会导致塔底座在安装与试验过程严重变形,涉及设备使用安全,因此,塔底座垫板超过塔体壁板内侧面。

25.4.2 塔盘安装后进行严密性试验,若发现法兰连接处密封垫搭接存在问题或密封垫有质量问题,则不易更换处理,故要求在塔盘安装前进行严密性试验。

25.4.3 现场组装安装的塔均应按设计文件要求进行注水试验,对焊缝和连接部位进行检查。塔体试压时应考虑水柱的静压力,卧置塔类设备进行试压时,塔体支撑应可靠,以防变形。环境温度低于 5℃时,水压试验应有防冻措施。

25.4.4 塔体安装后因设计构造或其他原因不能做水压试验时,需进行气压试验,但需制定可行的安全试验措施与方案,经单位技术负责人审核后报监理审批后方可实施,以确保试验安全。

25.6 填料塔组装

25.6.6 错边量是影响焊接质量的重要因素,同时对设备的使用寿命、安全运行都有密切关系,在施工过程中严格控制。筒体圆度偏差是控制组装质量的重要因素,避免组装过程中的强力组对,产生应力集中。设备组装的直线度直接影响到安装后的垂直度或水平度,在设备组装过程中严格控制,若在现场组装后分段安装,直线度即为分段安装的垂直度。

原规范规定两板不等厚度筒体横焊缝错边量,采用公式计算,由于现塔类设备壁板厚度远远超过 6.0mm,已不适于再用公式计算,结合现有装备制造水平,将错边量规定为小于或等于 4.0mm 具有可操作性。

原规范规定复合钢板筒体焊缝错边量的极限值为 1.5mm,现提高标准,将其错边量的极限值定为 1.0mm,以与《现场设备、工业管道焊接工程施工质量验收规范》GB 50683 保持一致。

25.7 填料塔焊接

25.7.2 原规范规定焊缝内部质量要求按标准为《现场设备、工业管道焊接工程施工及验收规范》GB 50236 进行分级,现行行业标准《承压设备无损检测》NB/T 47013 对不同类型的材料和焊缝提出的质量等级评定依据,更具有可操作性,且国内压力容器和压力管道已统一执行该标准,故改为现行行业标准《承压设备无损检测》NB/T 47013,并增加超声波检测方式,与实际执行标准保持一致。

对于对接焊缝质量,设计对重要焊缝无损检测抽检比例一般要求为 10%～25%,对于无设计要求时,原规范检查数量为 20%,抽检比例要求过高,在不降低焊缝质量要求的前提下,抽检比例定为 10%较为合适。

25.7.3 在组装过程中,存在无法避开在焊缝区域开孔的情况,开孔区内焊缝和被加强圈等覆盖的焊缝质量直接影响到设备的使用寿命。本条文强调了对开孔区内焊缝和被加强圈等覆盖的焊缝内部质量要求,经无损探伤检查合格后才能进入下道工序。

原规范规定焊缝内部质量要求按标准为《现场设备、工业管道焊接工程施工及验收规范》GB 50236 进行分级,现行行业标准《承压设备无损检测》NB/T 47013 对不同类型的材料和焊缝提出的质量等级评定依据,更具有可操作性,且国内压力容器和压力管道已统一执行该标准,故改为现行行业标准《承压设备无损检测》NB/T 47013,并增加超声波检测方式,与实际执行标准保持一致。

25.7.4 焊后热处理主要防止冷裂纹的产生,热处理的时机和保温时间直接影响热处理效果,因此应在焊后立即进行,并根据材质、壁厚调整热处理时间。

25.7.6 塔内焊缝表面毛刺、焊瘤、焊渣等缺陷,直接影响到衬里质量和使用寿命。

25.7.7 原规范规定焊缝尺寸允许偏差按四级划分检查,现按焊缝外观检查等级调整为Ⅰ、Ⅱ、Ⅲ级,以与《现场设备、工业管道焊接工程施工质量验收规范》GB 50683 保持一致。

原规范规定复合钢板焊缝错边量的极限值为 1.5mm,现提高标准,将其错边量的极限值定为 1.0mm,以与《现场设备、工业管道焊接工程施工质量验收规范》GB 50683 保持一致。100%无损检测的焊缝,其外观检查等级为Ⅰ级;局部无损检测的焊缝,其外观检查等级为Ⅱ级;无无损检测的焊缝,其外观检查等级为Ⅲ级。

25.8 填料塔安装

25.8.1 塔垫板未超过塔体壁板,可能会导致塔底座在安装与试验过程严重变形,涉及设备使用安全,因此,塔底座垫板要超过塔体壁板内侧面。

25.8.2 塔盘安装后进行严密性试验,若发现法兰连接处密封垫搭接存在问题或密封垫有质量问题,则不易更换处理,故要求在塔盘安装前进行严密性试验。

25.8.3 现场组装安装的塔均应按设计文件要求进行注水试验,对焊缝和连接部位进行检查。塔体试压时应考虑水柱的静压力,卧置塔类设备进行试压时,塔体支撑要可靠,以防变形。环境温度低于5℃时,水压试验应有防冻措施。

25.8.4 塔体安装后因设计构造或其他原因不能做水压试验时,要进行气压试验,但需制定可行的安全试验措施与方案,经单位技术负责人审核后报监理审批后方可实施,以确保试验安全。

26 煤气净化及化产品回收容器

26.1 容器类设备本体组装

Ⅰ 主控项目

26.1.1 在组装过程中,存在无法避开在焊缝区域开孔的情况,开孔区内焊缝和被加强圈等覆盖的焊缝质量直接影响到设备的使用寿命。本条文强调了对开孔区内焊缝和被加强圈等覆盖的焊缝内部质量要求,经无损探伤检查合格后才能进入下道工序。

原规范规定焊缝内部质量要求按《现场设备、工业管道焊接工程施工及验收规范》GB 50236进行分级,现行行业标准《承压设备无损检测》NB/T 47013对不同类型的材料和焊缝提出的质量等级评定依据,更具有可操作性,且国内压力容器和压力管道已统一执行该标准,故改为现行行业标准《承压设备无损检测》NB/T 47013,并增加超声波检测方式,与实际执行标准保持一致。

Ⅱ 一般产品

26.1.2 原规范规定复合钢板焊缝错边量的极限值为1.5mm,现提高标准,将其错边量的极限值定为1.0mm,以与现行国家标准《现场设备、工业管道焊接工程施工质量验收规范》GB 50683保持一致。

原规范规定碳素钢、奥氏体不锈钢筒体横焊缝错边量的极限值为6.0mm,结合现有装备制造水平,提高标准,将错边量规定为小于或等于4.0mm。

26.2 容器类设备现场焊接

Ⅰ 主控项目

26.2.2 原规范规定焊缝内部质量要求按《现场设备、工业管道焊接工程施工及验收规范》GB 50236进行分级,现行行业标准《承压设备无损检测》NB/T 47013对不同类型的材料和焊缝提出的质量等级评定依据,更具有可操作性,且国内压力容器和压力管道已统一执行该标准,故改为现行行业标准《承压设备无损检测》NB/T 47013,并增加超声波检测方式,与实际执行标准保持一致。

对于对接焊缝质量,设计对重要焊缝无损检测抽检比例一般要求为10%～25%,对于无设计要求时,原规范检查数量为20%,抽检比例要求过高,在不降低焊缝质量要求的前提下,抽检比例定为10%较为合适。

26.2.3 焊后热处理主要防止冷裂纹的产生,热处理的时机和保温时间直接影响热处理效果,因此应在焊后立即进行,并根据材质、壁厚调整热处理时间。

Ⅱ 一般项目

26.2.4 原规范规定焊缝尺寸允许偏差按四级划分检查,现按焊缝外观检查等级调整为Ⅰ、Ⅱ、Ⅲ级,以与现行国家标准《现场设备、工业管道焊接工程施工质量验收规范》GB 50683保持一致。100%无损检测的焊缝,其外观检查等级为Ⅰ级;局部无损检测的焊缝,其外观检查等级为Ⅱ级;无无损检测的焊缝,其外观检查等级为Ⅲ级。

原规范规定合钢板筒体横焊缝错边量的极限值为1.5mm,现提高标准,将其错边量的极限值定为1.0mm,以与现行国家标准《现场设备、工业管道焊接工程施工质量验收规范》GB 50683保持一致。

26.3 容器类设备安装

Ⅰ 主控项目

26.3.3 为防止容器类设备在运输和安装过程中局部损伤和人孔、法兰处的密封情况发生变化,即使在制造厂进行了强度和严密性试验,现场安装结束后仍需再次进行强度和严密性试验。

27 煤气净化及化产品回收槽罐

27.1 槽　　罐

煤气精制及化产品回收工程中,槽罐类非标设备现场制作安装比较普遍,由于槽罐类已有现行的国家规范,因此,此次仅从槽罐类设备安装、焊接两方面进行修改。槽罐类设备底板、壁板、顶板的下料、坡口加工等应符合设计文件要求,并符合现行国家标准《立式圆筒形钢制焊接储罐施工规范》GB 50128 的相关规定执行。

Ⅰ 主 控 项 目

27.1.2 槽内加热器是槽罐类设备的重要组成部分,安装完毕后需按设计文件要求进行强度和严密性试验,保证安装质量。

27.1.3 槽罐充水试验、顶板严密性试验是对设备安装各部位的检验,需按设计文件要求进行,并符合现行国家标准《立式圆筒形钢制焊接储罐施工规范》GB 50128 的规定。顶板严密性试验在槽罐充水试验后进行,充水至溢流口时,将顶板上所有的接口封闭,通入 500Pa 的压缩空气,在顶板焊缝处用肥皂水进行严密性检查。充水试验时,加强对基础沉降的观测;试验完毕后,水放到排水沟内,不能直接排放到设备周围。

Ⅱ 一 般 项 目

27.1.5 本条主要是对槽罐底板任意焊缝距离做出了明确要求。

27.1.6 本条主要对壁板相邻两焊缝、壁板与底板之间的焊缝、壁板与包边角钢之间的焊缝距离做出了明确要求。壁板排板时,考虑到避免焊缝集中,局部应力增大,因此,壁板的长度、宽度不能太小,满足本规范要求。壁板采用搭接时,搭接距离及间隙符合规范要求。

27.2 槽罐焊接

Ⅰ 主控项目

27.2.4 焊缝内部质量主要通过无损探伤检查,焊缝尺寸偏差主要从表面加强层高度、表面凹陷、坡口错位、角焊缝焊角高度几方面进行控制,将《现场设备、工业管道焊接工程施工及验收规范》GB 50236 修改为《承压设备无损检测》NB/T 47013。

27.2.5 本条主要是为了保证槽罐底板、浮顶底板焊缝质量,采用真空箱法进行焊缝严密性试验,检查焊接质量,本次将负压值 40kPa 修改为 53kPa,与现行国家标准《立式圆筒形钢制焊接储罐施工规范》GB 50128 一致。

28 煤气净化及化产品回收加热器

28.1 管式加热炉

Ⅰ 主 控 项 目

28.1.1 由于炉管及附件是加热炉中最重要的组成部分,直接影响设备的使用寿命和使用安全,须严格控制炉管及附件的质量。炉管及附件在安装前应进行检查,并应符合规范要求;安装前不检查炉管的质量,在试运转发现缺陷,处理难度将大大增加,对整个炉子的安装质量就会造成严重影响。

29 煤气净化及化产品机械澄清槽、离心分离机

29.1 机械澄清槽

Ⅰ 主控项目

29.1.1 严密性试验的压力及试验要求首先满足设计文件要求，设计无要求按本条文执行，便于工程中的实施，本次将负压值40kPa修改为53kPa，与国标《立式圆筒形钢制焊接储罐施工规范》GB 50128一致。

29.3 煤气初冷器/终冷器

Ⅰ 主控项目

29.3.2 本条主要是对胀管管口和管道及焊缝质量进行检查。试验的压力及试验要求首先满足设计文件要求，设计无要求时按本条文执行。本条文中的"露珠"是指附着于胀口并不向下流的水珠。

Ⅱ 一般项目

29.3.5 本条是对胀管率的要求，胀管时应指定专人，记录每个管板孔和管端的测量数据。胀管率的计算公式为：

$$\Delta = \frac{d_1 - d_2 - \delta}{d_3} \tag{1}$$

式中：Δ——胀管率(%)；

$\quad d_1$——胀完后管子的内径(mm)；

$\quad d_2$——未胀时管子的内径(mm)；

$\quad d_3$——未胀时管板孔直径(mm)；

$\quad \delta$——未胀时管板孔直径与管子外径之差。

29.6 萘结片机

原规范称的"制片机"在目前的工程实际应用中普遍称为"萘结片机"，故将"制片机"改为"萘结片机"。

30 试运转及焦炉热态工程

30.1 一般规定

30.1.3 本条为强制性条文,必须严格执行。设备的安全装置关系到设备和调试人员的安全,在设备单试时须首先将安全装置调试完成,保证试车的安全。

压力继电器是利用液体压力来启闭电气触点的液电信号转换元件。当系统压力达到压力继电器的调定压力时,压力继电器发出信号,控制电气元件的动作,实现泵的加载和卸荷、执行元件的顺序动作、系统的安全保护。若压力继电器不能正常工作,在系统受外力影响的情况下,系统压力突然增高,超过设计的最高上限时,不能使动力源停止工作,继续向系统提供压力,系统的压力就会猛增,产生较大的压力,损坏设备或者伤害人员。液压安全阀是一种安全保护用阀,它的启闭件受外力作用下处于常闭状态,当设备的介质压力升高,超过规定值时自动开启,通过向系统外排放介质来防止设备内介质压力超过规定数值。控制压力不超过规定值,对人身安全和设备运行起重要保护作用。

温度控制器主要用于检测设备的运行温度,控制设备在规定的温度范围内运行,一旦超过规定的温度范围,运行设备就停止工作,保证设备安全运行。在调试过程中,应反复调整温度控制器的控制范围和可靠性,一旦不能正常工作就会损坏设备,甚至于造成人身伤害。

行程限位开关是一种根据运动部件的行程位置而切换电路工作状态的控制电器。行程限位开关的动作原理与控制按钮相似,在机械设备中,事先将行程限位开关根据工艺要求安装在一定的行程位置上,部件在运行中,使行程开关的触点动作而实现电路的切换,达到控制运动部件行程位置的目的。在试车时,需将行程开关反复调整,动作灵活可靠。若行程限位开关不正常工作,运行的部件就不能到达规定的位置,就会与下一部件相碰,造成设备损坏或者人员伤害。

30.4　干熄焦装置

30.4.1　焦罐车与干熄焦装置及拦焦车的衔接是装焦系统试运转的重要环节,是保证红焦顺利运送至干熄焦系统的关键步骤。

提升机的走行和卷上(卷下)速度的精确调整是保证装入系统按设定程序和时间进行生产的关键。

提升机是一种特殊的桥式起重机械,属于特种设备,试运转时除参照本条执行外,还应参照设计、设备技术文件及国家现行标准执行。

30.4.2　此处的"气体循环系统"是指广义的气体循环系统,是指由熄焦槽、余热锅炉以及连接熄焦槽和余热锅炉的循环系统所组成的干熄焦全系统。干熄焦全系统气密试验是根据设备的结构、功能制定的一种特殊的"动态气密试验技术",目的是检查所有焊缝和法兰连接面是否泄漏。

31 安全及环保

本章为新增内容。增加了在设备安装过程的安全及环保要求,焦化机械设备安装过程中,高空作业比较多,专业间的交叉频繁,立体作业时有发生,操作人员的安全极为重要。本章从安全设施、安全环境和操作工具等方面进行了规范。

31.1 一 般 规 定

31.1.17 焦化工程布置装置多,相互间的间隔较小,施工时高空作业较多,并且同步作业多,不同施工区域的施工人员通行频繁,危险源因素多,因此规定在施工时要设置安全警示标记和安全围栏,杜绝非本区域的施工人员进入作业区。